JN059050

小川 忠

自分探しするアジアの国々

揺らぐ国民意識をネット動画から見る

明石書店

自分探しするアジアの国々

目　次

6章　インド　「悠久のインド」を語ることの意味　111

7章　バングラデシュ　「ベンガル」と「イスラーム」のあいだで揺れる国民意識　127

8章　中国　中国は「一つの中国」なのか　145

終章　グローバリゼーション時代のアジアの「自分探し」　227

注　本書の各章で示す各国の経済指標は、コロナ・ショック以前の2019年までの統計である。危機発生後の2020年資料は本書刊行時点では未入手であるが、かなり厳しいものとなることが予想される。

序章　アジア理解の難しさ

日本社会のアジア理解の課題

本書が意図するのは、映画、ロック、ヒップホップ等若者に支持される文化を主な素材としながら、アジア各国の国民意識のあり様の描写を通して、現代アジアが包含するダイナミズムと多様性を浮き彫りにすることだ。

自分や日本人のアジア理解は、先入観に引きずられた硬直的なものとなっていないか。アジア諸国の変化に、日本は付いていけていないのではないか。この状況をこのまま放置すると、これからアジア諸国と協働して生きていかなければならない日本の未来に障害となりはしないか。筆者がそういう危惧を感じるようになったのは、文化と宗教の宝庫と呼ばれるインドやインドネシアで暮らすなかで、両国の国のかたち、人々の意識のあり様が、この30年くらいの時の流れのなかで大きく変貌を遂げる姿を目の当たりにしてきたからだ。

近年、日本に在住する外国人の増加や訪日外国人観光客の増加が話題となるが、その多くはアジアの人々である。法務省統計によれば、２０１９年12月末時点で、在留外国人数は２９３万人であるが、その84％の２４６万人がアジア出身である。[1] また日本政府観光局の統計によれば、２０１９年の訪日外国人客数３１８８万人中の84％はアジアからの客人だ。[2] 企業の駐在員としてアジアで暮らす邦人も増えている。外務省統計によれば、３か月以上海外にいて、いずれ日本に帰国するつもりの「長期滞在者数」は、２０１７年において86万人であるが、その41％がアジア諸国に在住する人々である。アジア在住者が占める比率は２００８年の36％から次第に拡大してきている。アジアでの企業活動が拡大していることの反映であろう。

こうした状況を受けて、アジアとの相互理解の必要性が強調されるも、いまだに日本の国際理解は欧米偏重傾向が強い。近頃目立つ「世界が礼賛する日本」的テレビ番組でも、カメラがフォーカスするのは欧米系白人の姿であり、「世界＝欧米」と考えているのではないかと思われるような姿勢が目立つ。

日本社会のアジア理解が進んでいないのは、脱亜入欧的メンタリティーを克服できていないこと以外に、以下のような点が挙げられる。

① アジア各国において一国のなかに存在する多様性に気づいていない
② 現代アジアの変化の速さに追いつけていない
③ そもそも「アジア」は他称であり、アジア自体の自己認識が混乱している

以下、順をおって説明しよう。

一国のなかの多様性

「国家」や「国民」は永遠不変のものではない。まず「国民」とは何か、「国家」とは何かを考えることから始めよう。「国民」と「国家」という二つの言葉を組み合わせた「国民国家」という概念は、西洋近代で生まれた。

「国境線」という境界の内側に生きる人々は、国境線が引かれる以前、言語、宗教、生活様式等様々な文化的特質をもった集団、エスニック集団（ethnic group）を形成し、現在の国民国家よりもっと小さな規模の血縁・地縁の共同体社会のなかで暮らしてきた。また身分制度という階層に基づくタ

テ型の帰属意識も存在していた。

本来、「自分とは誰であるのか」という自己認識（アイデンティティー）は、自分の内部に複数存在し、引き出しから道具を取り出すように、人は自分を取り巻く状況、相手に応じて適宜選択している。常にアイデンティティーは多様かつ流動的で、単一、固定的なものではないのだ。我々個人も誰かに自己紹介する時、相手によって、自分は誰なのか説明を変えているはずだ。

近代以降「国家」という政治権力は、国家間の政治的力学に基づいて引かれた国境線の内側にある多様なエスニック集団・地縁血縁共同体・社会階層に対して、国家への強い画一的帰属意識を持たせようとする。すなわち国家は、国民国家建設のプロセスにおいて、教育等の社会制度を通じて、国民国家の名を冠した「〇〇〇国民」「〇〇〇民族」（nation）という均質的なアイデンティティー意識を、多様な特質をもつ人々の心のなかに培養しようと試みる。

たとえばインドネシアの学校教育では、「ジャワ人」や「バリ人」など数百を超えるエスニック集団が「多様性のなかの統一」の理念の下、一つの「インドネシア国民」「インドネシア民族」であることを決意したという建国のストーリーが語られる。これが上からの「国民意識」「民族意識」形成である。

「国民意識」「民族意識」の源になるのは、たとえばロシアのように、その国家において政治権力を握る主流派エスニック集団の言語、宗教であったり、米国の「自由と平等」のように理念、価値、イデオロギーであったり、様々である。

このような国民国家（ネーション・ステート）という概念は、西洋が非西洋圏を植民地化し支配していくなかで、アジアにも伝播し、国民国家形成の模索が19世紀後半から始まる。

国民意識が培養される器となる国民国家がアジアにおいて樹立されるのは、明治維新によって19世紀後半に近代国家を樹立した日本を除いて、多くは第二次世界大戦後のことである。南アジアのインド、パキスタン、バングラデシュ、スリランカ、東南アジアのマレーシア、シンガポール、ミャンマーは、大英帝国の植民地であり、ベトナム、カンボジア、ラオスのインドシナ三国はフランスの、インドネシアはオランダの、フィリピンはスペインその後米国の、朝鮮・台湾は日本の植民地であった。広大な中国大陸には中華民国という近代的国民国家概念に基づく国家が存在した。しかしその統治力の脆弱なるがゆえに、外国勢力は各地に治外法権のある租借地を設け、各地に軍閥が割拠する状態となって、半ば独立を失ったような状態に置かれていた。

大戦の後、これらの植民地は、植民地時代に引かれた国境線をもとに国家として独立し、国民国家の建設が始まった。植民地支配以前の時代を振り返ると、そもそもこの地域には国境線を引くという発想がなかった。インドシナ半島の山岳少数民族、南シナ海の海洋少数民族は、暮らしの必要に応じて、山を越えて、海を渡り自由に移動していた。それが彼らにとって自然なのであった。陸上・海上に想像上の線を引き、ウチとソトを明確に区別し、ウチ側の人間を「我々」、ソト側の人間を「彼ら」と意識させることで国家と国民意識は形成される。

近代において欧米列強によって植民地化されたアジアにおいて、宗主国は植民地帝国運営の必要な下級官僚養成のための教育制度を設けた。その教育のなかで育った現地のエリート青年のなかにナショナリズム（「一つの民族」が「一つの国家」を作るという考え方）が芽生え、彼らが「自分たちの国」

を作る独立への働きかけを始めた。やがて独立獲得といったプロセスのなかで、植民地社会に国民意識の種子が形成され、それが芽を出し、独立後は教育やメディアによって根を張り拡がっていった。

国民意識形成のためには、その源泉となる何かが必要となる。前述の通り、それは言語であったり、植民化される以前に元々その地にあった宗教、共通の経験（歴史認識）、地理、理念・イデオロギーであったり、まちまちだ。アジア各国の「国民」とは、一枚岩的な存在ではなく、様々な要素の組み合わせ、その均衡でもって構成されている。

ところで日本語の「民族」という言葉には、同一の文化的特質を共有する集団を指す ethnic group 概念と、国民国家という政治的共同体を指す nation 概念が区別されずに混入している。本書では、ethnic group については「エスニック集団」、nation については「国民」「民族」と記す。「国民」「民族」のなかに含まれている個々のエスニック集団に言及する時、「〜人」あるいは「〜族」という呼称が用いられる。たとえば「バリ人」「満州族」といった具合であるが、「〜人」と「〜族」の使い方に明確な区別はなく、その使用にバラつきがある。「〜族」「〜部族」という呼称には、西洋が非西洋を視る時の差別性が含まれているという批判がある一方、中国やベトナムでは、国内のエスニック集団について一般的に「〜族」が使用され、差別性は認められない。本書では表記を統一する観点から、引用する場合を除き、「〜人」に統一することにした。

アジアの劇的な変化

国民意識とは、相対的なもので、状況、時期によって変化していく。独立時と比較して、たとえば現在のインド国民の国民意識は変わらぬ部分もあれば、変わってしまった部分もある。永遠不変の国民意識は存在せず、廃れていくものもあれば、新たに生成されるものもあり、一度廃れた意識が復活するケースもある。これらの変化が同時並行で進む例もある。前述した通り、そもそもアイデンティティーそのものが、相対的、流動的なものなのである。

したがってアジアの自己認識は常に変化のなかにあり、固定的なものは存在しないという認識に立って、その変化のあり様を丁寧にみていくことが大切だ。

アジア理解の難しさの第二点は、アジア自体の変化の速さである。それにしてもアジアの変化はすさまじい。その変化を生んでいるのは、まぎれもなく国民意識や価値観の下部構造ともいえる経済である。国際通貨基金は２０１８年10月に発表した「アジア太平洋地域経済見通し」のなかで、経済がもたらしたアジアの変化を以下のように総括している。

過去50年間にアジア経済は目覚ましい成功を収めてきた。何億人という人々が貧困から脱却し、相次ぐ経済発展の波に乗って、アジア諸国は中所得国へ、さらには先進国へと成長していった。かつてはほぼ完全に他地域のノウハウに依存していたアジアだが、現在では域内の複数の国々が、進歩する科学技術の最先端を走っている。さらに驚くべきことに、これらは全てわずか2世代ほどの期間に起きた出来事であって、貿易と海外直接投資（ＦＤＩ）を通じた世界経済との統合、高い貯蓄率、人的資本と物的資本への大規模な投資、そして堅実なマクロ経済が組み合わさって大きくプラスに働いた結果である。(3)

めざましい経済成長は、膨大な中間層をアジアに生み出した。２０１６年時点において、アジア主要国の中間・高所得層の世帯数は中国３・６億世帯、インド１・５億世帯、アセアン６か国（シンガポール、マレーシア、タイ、インドネシア、フィリピン、ベトナム）９４００万世帯である。上記アセアン諸国では中間・高所得層は10年間で２・４倍に増加したことになる。世帯総数の、中国80％、アセアン63％、インド56％を中間・高所得層が占めるに至った。[4] これらの国々では国民の半数以上が中間・高所得層に属していることになり、「貧しいアジア」というイメージは過去のものとなりつつある。

専門家の予測では、今後もアジア経済は成長を続け、世界ＧＤＰに占めるアジアのシェアは２０００年の２割強から、さほど遠くない未来の２０３０年には４割近くに上昇する見込みである。この間に中国は米国を抜き世界1位の経済大国となり、他のアジア諸国も世界平均を上回る成長率を維持するものとみられる。[5]

アジア経済躍進のプラスになっているのが、近年多くの経済専門家が指摘する「人口ボーナス」という要因である。労働に従事する年齢層（青年・中年）の総人口に占める割合が高いと経済成長を促進するという考え方だ。国連人口推計に基づき内閣府が作成した資料によれば、２００５年時点において65歳以上の高齢者が占める割合は日本が22・1％であるのに対して、中国7・6％、韓国9・3％、インド4・6％、インドネシア5・5％、マレーシア4・4％、フィリピン3・9％、シンガポール8・5％、タイ7・1％、ベトナム6・2％となっており、日本の高齢化社会ぶりが際立つ。２０１８年には日本の高齢者割合は28・1％に達している。[6] 総務省統計局が国連統計をもとに作成した資料によれば、２０２０年時点での推計中位年齢は、日本48・7歳、中国38・7歳、韓国43・4歳、インドネシア

29・3歳、タイ40・1歳、フィリピン25・2歳、ベトナム37・2歳、インド28・2歳、バングラデシュ27・5歳となっており、「老いる日本」「若いアジア」の対比は鮮明になる。[7] とはいえ今世紀半ばには、アジア諸国も人口増加のピークを越え人口減少が始まり、人口ボーナス期は終了すると予測されている。国民意識は、メディアと教育によって普及されると前述したが、経済発展とこれに伴う中間層の拡大は、高学歴化、情報社会化をアジアにもたらしている。

ユネスコ統計研究所が２０１４年に出版した報告書「アジアの高等教育」は、直近20年間におけるアジアの高等教育に関して、初等・中等教育進学率の上昇、社会からの期待の高まり、専門的人材を求める経済等の理由から、「爆発的」な量的拡大を果たしたと指摘している。同報告書によれば、１９７０年において世界で大学に進学する者は３２６０万人であったのが、２０１１年には1億８２００万人に増加し、その大学進学者の46％を東及び南アジアが占めている。[8] グローバル・ノート社がユネスコ統計をもとに集計したデータによれば、アジアで高学歴化が進んだ結果、日本の大学進学率（短大含む）63％を超えているのが、韓国93％、シンガポール83％、モンゴル64％であり、中国51％、タイ49％、マレーシア41％、インドネシア36％、フィリピン35％、ベトナム28％、インド27％と続く。アジアは次第に学歴社会へと変化を遂げつつある。[9]

アジアのインターネット普及状況（２０１９年）をみると、東アジア60％、東南アジア63％、南アジア42％で、北米95％、西欧94％と比べると高くはないが、まだまだ伸びる潜在性をもつということでもある。そして、とにかくアジアは人口規模が大きい。インターネット人口で比較すると、北米は3・4億人、西欧は1・8億人であるのに対して、東アジア10億人、南アジア8億人、東南アジア4・

1億人となっており世界で最大のインターネット人口がアジアには存在する[10]。

若者文化に焦点をあてて

高学歴化、情報社会化の焦点となり主役となるのは、若者たちに他ならない。拡大する経済の働き手であり、消費者であり、市民社会の担い手となり、新しい文化を創造しているのが、人口統計的にも主翼をなす10代後半から30代までの青年層たちなのである。

したがって、本書の主テーマである、アジア各国の国民意識の変容を探る上で、各国において国民意識の源になっているものは何かを考え、それが歴史的にどう変遷してきたのか踏まえながら、現代の青年の意識にそれがどう投影しているのか、青年たち自身はこれにどう向き合っているのかを考える必要がある。その格好の材料となるのが、若者たちに支持されている、映画・テレビ・ショートフィルム・ポップ音楽・ダンス・ミュージカル・アート・文学等の若者文化である。

このようなアジアの若者文化に日本で触れる機会は、国際交流基金アジアセンターや福岡アジア美術館などが奮闘しているが、十分あるとはいえない。他方近年インターネットという新たな手段により、生の映像や音声を視聴できるようになった。日本語字幕や解説がないという難点はあるが、リアルタイムでアジアの若者文化を学ぶことができるメリットは大きい。筆者の大学講義でも、こうした素材をフル活用しており、これまでアジアの文化について知る機会がなかった学生たちの理解の大きな助けとなっている。本書でも、こうしたインターネット動画を紹介しながら、現代アジア各国の国民意識、アイデンティティー変容を考えていきたい。

ということである。

アジアを定義することの難しさ

アジア理解の第三の難しさは、アジアの人々が自分たちのことを「アジア人」とは認識していない、ということである。

「アジア人」自己認識が広がらない一つの理由は、そもそも「アジア」という言葉は他称であり、自称ではないことにある。古代アッシリアの碑文に「東」を指す言葉として「asu」（日の出るところ）、西を指す言葉として「ereb」（日の沈むところ）がギリシアに伝わり、これが「アジア」「ヨーロッパ」の語源になったといわれる。つまり、「中東」「中近東」「極東」という言葉同様に、西洋の視点から見た言葉であり、アジアの視点から見ると違和感が残る[11]。

この言葉が東西交流によってアジアに持ち込まれ、17世紀中国の明の時代に「亜細亜」として定着し、日本にも江戸時代に伝わった。カタカナの「アジア」が日本社会において定着するのは、第二次世界大戦以降である[12]。

アジアの人々が、自身と結びつけて「アジア」を語りだしたのは、たかだか数世代前からのことで、長い歴史のなかでは、最近のことと言ってもよい。

岡倉天心の有名な「アジアは一つ」という言葉は、欧米列強が非欧米圏を次々と植民地支配していく時代のなかで、欧米に対抗するための団結と劣等意識の払拭を意図したものであり、実態として「アジアは一つ」と岡倉が認識していた訳ではない。アジアはあまりに多様であり、雑多である。その内部の多様性ゆえに、「アジア人」認識がアジア域内で定着していない。

「アジア」と他地域の境界線をどこに引くのかについても、決定的な統一基準があるわけではない。

日本の外務省の地域分類において、アジアとは、東は日本・朝鮮半島、北はモンゴル、南は東南アジア、西は南アジアのパキスタンまでとなっているが、国連の分類では旧ソビエト連邦（ソ連）に所属していた中央アジア諸国及びアフガニスタンや、北アフリカを除く中東諸国（西アジア）まで含まれる。国際サッカー連盟の傘下にあるアジアサッカー連盟には、国連のアジア分類に加えてオーストラリアもメンバーになっている。

本書が扱う「アジア」とは、外務省の地域分類に準じるものである。筆者の力量の限界もあり、外務省地域分類にあるすべてのアジアの国をカバーできていないが、国民意識を考える上で重要な国はカバーし、その特質を抽出するように心がけた。

共有されていないアジア研究の成果

「国家」や「国民」の個性ともいえる「伝統」も、実は案外新しいことがある。「国家」や「国民」は常に変化し、現代においてその変化は加速している。そもそも「国」とは何か、「国民」とは何か。いかにして人々は、「同胞」あるいは「異邦人」といった具合に他者との線を引くようになるのか。その根拠は何か。

この問いの解明に現代アジア研究は大きな成果をあげつつある。近年における日本の現代アジア研究は世界的に見ても、最先端でがんばっているといえる。惜しむらくは、こうした研究が専門的に先に進みすぎて、一般社会にまでその成果が共有されておらず、専門家と一般の人々とのあいだに距離が存在することだ。

アジア各国と日本との間の市民レベルの相互理解は、まだまだ不足していると考えざるを得ない。ナポレオンやワシントンについてはある程度知っていても、スカルノやホー・チ・ミンなどアジアの建国の父たちについては名前ぐらいしか知らない。これは若者に限ったことではなく、日本社会一般がそうであろう。あなたは、アジアの今を生きる人々の心根を理解する上でとても重要な現代文学や映画を、どれくらい読み、見たことがあるだろうか。アジアの小説家や監督の名前を、何人挙げることができるだろうか。数世紀続いた欧米中心の国際秩序が構造的に変化しようとしている今日、日本が国際社会とともに生きていくためには、変化のなかにあるアジアをより深く理解することが不可欠である。

本書は、近年の内外アジア研究の成果を参照しつつ、大づかみにアジアの変化と多様性を理解することを意図している。アジア諸国との相互依存が進む日本社会の市民として知っておきたい教養を身に付けるアジア入門書と考えていただきたい。アジア研究の奥は深い。さらにアジアについて深く学びたい読者は、本書が参照した書籍等にあたり、さらにその先のアジアの知的・文化的世界に分け入っていただきたい。

次章以降、一国ごとに国民意識形成と変化の模索を描くが、その理解の前提として各国の現在の全体像を頭に入れておくため、各章の冒頭に当該国の国土・人口・政治・経済・民族・言語・宗教の概略を記した。そこに記載のある統計数値は、特に断りのない限り、外務省ウェブサイト「国・地域」欄に掲載されている各国の「基礎データ」及び日本貿易振興機構（ジェトロ）ウェブサイト「国・地域別にみる」の各国情報を参照した。

注

（1）法務省「在留外国人統計　２０１９年12月」。

（2）日本政府観光局「訪日外国人客数年表　２０１９年」。

（3）国際通貨基金「アジア太平洋地域経済見通し２０１８年10月」（２０１９年８月23日アクセス）https://www.imf.org/ja/Publications/REO/APAC/Issues/2018/10/05/areo1012

（4）株式会社みずほフィナンシャルグループ リサーチ&コンサルティングユニット、MIZUHO Research & Analysis 12「経済成長に伴うＡＳＥＡＮ市場の発展・変化の多様性」https://www.mizuho-fg.co.jp/company/activity/onethinktank/vol012/pdf/03.pdf

（5）三菱総合研究所及び政策・経済研究センター「内外経済の中期展望　２０１８―30年度」（２０１９年８月23日アクセス）https://www.mri.co.jp/opinion/column/uploadfiles/nr20180709pec_all.pdf

（6）内閣府「２０３０年のアジア――アジア経済の長期展望と自律的発展のための課題」２０１０年11月19日 http://www.esri.go.jp/jp/workshop/forum/101105/gijishidai45_1.pdf（２０１９年８月23日アクセス）

（7）総務省統計局「世界の統計２０１８」23～24頁　https://www.stat.go.jp/data/sekai/pdf/2018al.pdf（２０１９年８月23日アクセス）

（8）UNESCO Institute of Statistics, *Higher Education in Asia: Expanding Our, Expanding Up The Rise of graduation education and university research*, 2014, pp.15–18　http://uis.unesco.org/sites/default/files/documents/higher-education-in-asia-expanding-out-expanding-up-2014-en.pdf（２０１９年８月24日アクセス）

（9）グローバル・ノート「各国の統計／教育／高等教育」参照 https://www.globalnote.jp/p2336/（２０１９年８月24日アクセス）

（10）We are social Ltd., *Digital in 2019*, pp.33–34　https://wearesocial.com/global-digital-report-2019（２０１９年

8月24日アクセス）
（11）吉田康彦編著『現代アジア最新事情　21世紀アジア・太平洋諸国と日本』大阪経済法科大学出版部、2002年、1頁。
（12）同右、2頁。

1章 インドネシア
デジタル化とイスラーム化が進行する「想像の共同体」の現在

インドネシアの概略

国土：192万平方キロ（日本の5倍）。東西距離5000キロは、ほぼ米国と同じ。世界最大の列島国家である。

人口：2.55億人（2015年、インドネシア政府統計）。中国、インド、米国に次ぐ世界第4位。

政治：大統領制、共和制。1997〜98年のアジア通貨危機により、30年に及ぶ長期支配をつづけた軍出身のスハルト大統領による強権体制が崩壊し、民主化された。

経済：上記アジア通貨危機以降、経済改革を断行し、政治社会情勢及び金融の安定化、個人消費の拡大によって2005年以降、5〜6%台の経済成長を達成した。貧困を脱し、消費が拡大する一つの指標とされる一人当たりGDP 3000ドルを、2010年中に突破し、2018年は3927ドルに達している。

民族：マレー系を中心に、300を超えるエスニック集団が存在する。代表的なものとして、ジャワ人、バリ人、スンダ人、アチェ人、バタック人、ミナンカバウ人、トラジャ人、ブギス人など。最大多数は、全国民の41%を占めるジャワ人（2000年国勢調査）。

言語：マレー語の一種ムラユ語が、「インドネシア語」として憲法によって「国語」と規定されている。国内に300〜500の言語が存在する多言語国家である。

宗教：イスラーム87.2%、キリスト教9.8%、ヒンドゥー教1.6%、仏教0.7%、儒教0.05%

インドネシア研究から生まれた「想像の共同体」論

インドネシアは国民国家とは何か、国民意識とは何かを考える上でヒントになる格好の材料を提供してくれる。国民国家をめぐる有力な学説は、インドネシア研究から生まれた。それゆえに、この国を本書の冒頭で取り上げることにした。

ナショナリズム研究者にとって必読の書と呼ばれている『想像の共同体』を書いた米国の政治学者ベネディクト・アンダーソンは、インドネシア政治の専門家であった。20世紀半ばに誕生した新しい国インドネシアはいかにして形成されたのか考察することによって、アンダーソンは「国民とはイメージとして心に描かれた想像の政治共同体である[1]」と述べた。

19世紀、オランダの植民地、蘭領東インドにおいて出版資本主義の発展、誰もがわかる口語言語の普及、通信交通の技術革新とネットワーク網の拡大に伴う人々の移動という新しい社会現象が生じていた。これが「我らインドネシア国民」という「国民意識」の起源となった。この時点では「インドネシア」という国名も概念もまだ存在していない。

さらに時代を経て、19世紀末から20世紀初頭にかけてオランダ式教育を受けたエリート層が中心となって、植民地からの脱却、自立への模索が始まった。ジャワ民族主義、イスラーム、共産主義など、様々なイデオロギー、宗教を根拠として独立を求める組織が20世紀初めに結成された。

やがて、こうした動きは、個々のエスニック集団、宗教アイデンティティーを根拠とする独立ではなく、オランダに支配されてきた諸エスニック集団が結集して「一つの民族」となり、「インドネシア」という新しい国家を樹立するのだ、という共通目標を掲げるに至る。インドネシア国民意識の誕生である。１９２８年10月28日に開催された独立をめざす青年指導者たちの会合で読み上げられたのは、「インドネシアという一つの祖国」「インドネシア民族という一つの民族」「インドネシア語という一つの言語」というスローガンだった。インドネシアでは「青年の誓い」として知られている。

ここで「青年の誓い」をたてた独立指導者たちの見識を感じるのは、あえて最大多数エスニック集団であるジャワ人のジャワ語を国語とせず、マラッカ海峡の交易言語として都市部に広まっていた少数派のムラユ語を、国語に選んだことだ。複雑な敬語表現があり、非母語話者に難しいジャワ語ではなく、発音、文法、表記が簡単で誰もが学びやすいムラユ語を選択したことは、独立後国民統合に大きくプラスになった。同じ言葉を話し、共感を育むことによって「想像の共同体」は生命体として血が通い始めるからである。メディアと国民教育を通じてインドネシア語の普及は進み、今ではほぼインドネシア全土でこの言葉が通用するようになった。

このようにして、植民地支配への異議申し立てを共通基盤として、たとえばこれまで一度も会ったことのないジャカルタとマカッサルの人々が、お互いを旧知の友人のように捉える「同胞」意識が芽生えることで、インドネシア民族主義が生まれ、「インドネシア国民」が形成されていったのである。インドネシア国民意識形成には、日本も関わっている。インドネシア社会史研究者の倉沢愛子は、日本軍占領（１９４２～45年）がジャワ村落社会にどのようなインパクトをもたらしたのかを、政治・経済・社会・文化的側面から分析した。日本の制度である隣組や組合の導入は、伝統的な村落共同体の再編を促進した[2]。宣伝メディアを通じた大衆教化や軍事教練は、村落社会の若者に、規律・集団行動・抽象的理念への忠誠心など近代組織が個人に求める能力を身に付けさせた[3]。日本軍が去った後、戻ってきたオランダに対して、インドネシアは独立戦争を貫徹するが、これを支えたのは日本軍政期に育った、国民国家の一員であることの自覚と能力をもった青年たちだったのである。

軍や政府高官などエリート層のみならず無名の人々が、戦前日本からインドネシアに渡り、インドネシア社会の変化に関わりをもったことを、日本・東南アジア関係史研究者の後藤乾一が明らかにしている。[4]後藤は、日本の「南進」の歴史を考える上で、軍事・経済進出の中継基地となった小笠原諸島、沖縄、台湾の重要性に着目した。後藤が光をあてたのは、小笠原諸島の硫黄島出身で兵士として日本のインドネシア占領とそれに続くインドネシア独立戦争を体験し、戦後は日系インドネシア人として生きた勢理客文吉である。彼の生涯から、「インドネシア国民」という想像の共同体形成の途上において、様々な国籍、階層、背景をもった人々がこのプロセスに関わり複雑な化学反応を引き起こした等々、学ぶことは多い。[5]

ICTによって「上書き」されるナショナリズム

以下では、インドネシアの国民意識の今について焦点をあてる。現在、グローバリゼーションに伴う二つの大きな潮流が、インドネシア社会を大きく変えつつある。それは、①デジタル化、②イスラーム意識の活性化である。まず、インドネシア社会のデジタル化、それに派生する遠隔地ナショナリズムについて、触れたい。

ここで、インターネットに流れるインドネシア人が作ったミュージック動画を見てみよう。（ユーチューブ等のインターネット動画サイトに「Tanah Air Angklung Hamburg Orchestra ft. Gita &

Paulus」と入力）

ギタ&ポールとアンクルン・ハンブルグ・オーケストラの共演、「タナ・アイル（Tanah Air）」（ふるさと）という題名である。ゆったりと静かなピアノのイントロに続いて、草むらから現れた若い女性が語りかけるように歌い始める。(6)

ふるさと、忘れはしない
命あるかぎり、
遠い旅路にあっても、消えることなき思い出
愛するふるさと、
かけがえのないもの

（訳は筆者）

やがてインドネシアの民族衣装バティックを身に着けた青年たちによる竹楽器アンクルンの演奏が重なる。中位年齢29歳という若い国インドネシア（日本は48歳）を体現するような若者たちの笑顔が清々しい。

メインボーカルの女性ギタ・サビトリは、１９９2年スマトラ島パレンバン生まれ、ジャカルタ育ち。インドネシアで人気のユーチューブ映像クリエーター、ブロガー、作家である。ネット上に流れる彼女の音楽ビデオ、ブログのコメントを支持する若者が多く、ソーシャル・メディアのインフルエンサーとして活躍している。「タナ・アイル」の映像は、２０１９年8月下旬の時点で６５３万回の

視聴があった。

　彼女は、２０２０年現在ドイツ留学中で、この動画「タナ・アイル」もドイツ在住のインドネシア人の仲間と製作したものである。

　この歌、曲名のみならず曲想も、日本の文部省唱歌「故郷」に似ていないか。似ているのには理由がある。どちらも、子どもたちに国民意識を植え付けるために創られた曲だからだ。「タナ・アイル」は、１９２７年に作曲家スード夫人によって作られた。インドネシア近代音楽教育の草創期の指導者にして愛国者として切手にもなったスード夫人の生涯を振り返ると、まさにインドネシア国民意識の形成と重なる。

　１９０８年西ジャワ生まれ。彼女に音楽、特にバイオリンの手ほどきをしたのは、彼女の里親であったＪ・Ｆ・クラマーという人物だ。クラマーは蘭領東インドの最高裁判所副長官をつとめた人で、オランダ人とジャワ貴族の血を引く。スード夫人がインドネシア独立を理想とし、愛国的な歌を作曲したのは、「国民」とは何かを理解しているクラマーの影響が大きい。バンドン師範学校に進学した彼女は、そこで音楽、声楽を学び、卒業後１９２５年からオランダ植民地政府が現地人を教育するための学校の教師として働き始める。「タナ・アイル」を作曲したのは、彼女が19歳の時、前述の「青年の誓い」が発せられる前年である。

　インドネシア国民意識の形成を担ったのは、スード夫人のように西洋式教育を受け、西洋的教育を身に付けた被植民地エリート青年たちだった。音楽の分野でも「インドネシア人」であることを意識し、誇りとする作曲家たちが、スード夫人が活躍を始めたのと同時期に現れ、盛んにインドネシア国民意識を鼓舞する「国民歌謡 Lagu Nasional」をインドネシア語の歌詞を付けて作った。インドネシア共和国の国歌となる「インドネシア・ラヤ」を作詞したルドルフ・スプラトマン、「インドネシア・プサカ」を作曲したイスマイル・マルズキ、「ブンガワン・ソロ」の作曲家として日本でも有名なグサン・マルトハルトノたちである。(7) アンダーソンは、「国民(ネーション)は愛を、それもしばしば心からの自己犠牲的な愛を呼びおこす」と述べているが、(8) これら音楽家たちは「祖国インドネシア」への愛着という感情をメロディーとして表現した。

彼ら世代は、植民地支配に代わる国民国家の創出をめざし、新たな「想像の共同体」たる国家にふさわしい国民音楽のかたちを模索した。インドネシアの「国民歌謡」とは、西洋支配を受ける前から存在した伝統、宮廷芸能あるいは大衆芸能ではなく、西洋音楽をベースとするものだった。アジアにおける近代とは、西洋近代を自分たちの内部に吸収する過程である。「タナ・アイル」が文部省唱歌「故郷」と似ているのは、いずれも西洋音楽をベースにしているからでもある。

「国民歌謡」は、独立後学校教育に取り入れられ、日本国民が小学校で文部省唱歌を学び自己の一部に吸収していくように、インドネシア国民にとって、この歌は誰もが知り、誰もが歌える身近な存在となっていった。歌詞がインドネシア語である点も重要だ。「国民歌謡」は、学校教育を通じてインドネシア語の普及に貢献したともいえる。このようにして皆が学校で紅白旗(インドネシアの国旗)を見上げながら、同じ言葉で、同じ歌を歌う。そういう体験を共有することによって、「想像の共同体」は実際に存在するものとして意識されていくようになる。

ところで現代では、インドネシア人コミュニティは世界各地に存在する。祖国から遠く離れたドイツにあって、青年がスード夫人作曲の国民歌謡を歌うことで、彼らは祖国へのノスタルジーを募らせる。さらにこれがネット動画としてインドネシア本国でも流れると、本国青年たちから共感の声があがり、本国とドイツ在住インドネシア人のあいだで「同胞」意識が強まるのである。スード夫人が、蘭領東インド植民地内に生きる人々に育もうとした「我らインドネシア国民」意識が、現代ではデジタルメディアを通じてインドネシアとドイツのあいだで「我々は結ばれている」という感覚とともに共有され、パソコン文書の上書き保存のように強化されている。

アンダーソンは、インターネット上で、国境を越えて瞬時にして地球の裏側に住む人間がつながり、ネット上で形成された「仲間」意識が仮想空間でのナショナリズム形成へとつながっていく現象を「遠隔地ナショナリズム」と呼んだが、インドネシア共和国史を振り返ると、独立運動指導者のなかには、初代インドネシア共和国副大統領モハマッド・ハッタのように、欧州留学中にナショナリズムに目覚めた者も少なくない。その点からすると、そもそもインドネシア・ナショナリズムの起源には遠隔地ナショナリズム的要素が含まれているといえる。

ギタ・サビトリたちの世代にとって、「独立」とは4世代、5世代前の歴史であり、自らの経験ではない。インターネットの出現によって生まれた仮想共同体は、独立前の青年が夢想した国民国家が有する一体感への憧れ、ナショナリズムの追体験、再確認の場である。「タナ・アイル」映像は、インドネシアとドイツ、地球の裏側にいても互いに「つながっている」という同胞意識、高揚感をさらに高める。まさに遠隔地ナショナリズムの誕生の瞬間ともいえる。

イスラーム・アイデンティティーの活性化

ところで、国語に関し、最大民族が話すジャワ語ではなく、ムラユ語を選択し、「インドネシア語」としたことに独立運動指導者の見識を感じると前述したが、宗教への対応についても同じ感想を抱く。

インドネシアは世界有数の多宗教国家であるのだが、意外と誤解している人が多い。インドネシアと聞けば、「バリ」を連想する人が多く、独特のバリ・ヒンドゥー教がこの国の宗教と考える人もいるが、ヒンドゥー教徒の数は全国民の1・6％に過ぎない。また世界最大級の仏教歴史遺産ボロブドゥール遺跡があることから、仏教が主流と思い込んでいる人もいる。しかし仏教徒の数は1％にも満たない。かつてこの地域には、インド文明の影響を受け、インドから伝播されたヒンドゥー教、仏教と土着の信仰が混じり合った王朝が栄えた。その痕跡は今も現代インドネシア社会に残り、ヒンドゥー教、仏教は上記宗派人口比率以上の存在感がある。

とはいえ、国民の9割近くがイスラーム教徒であるインドネシアは、世界最大のイスラーム教徒人口を擁するイスラーム大国なのである。19世紀オランダによる植民地支配が強まるなか、イスラーム勢力は頑強に抵抗し、独立を求める闘いにおいて少なからぬ役割を担ってきた。それゆえに、独立時にはイスラーム原理に基づく国家建設を求める声がイスラーム教徒内部にあった。

しかし、独立運動指導者スカルノらが選択したのは、イスラームが多数派を占める社会での政教分離的な原則である。スカルノがモデルとしたのが、トルコがオスマン帝国からトルコ共和国へと変わってゆく過程である。スカルノはケマル・アタチュルクによるオスマン帝国の廃止、カリフ（イスラーム共同体の指導者）の廃止、政教分離改革を評価し、「（政教分離の措置）は、宗教に反対するものではなく、まさに宗教を助けるものであった。宗教を制限せんとするものではなく、まさに宗教を育てんとするものであった」[9]（土屋健治訳）と述べ、世俗権力が宗教に介入するのを避けるのがその狙いであると擁護した。

「マホメット（引用者注：ムハンマド）の発言は、最小限の諸条件、『最小』の掟であり、『文字通りかくせよ』という掟ではないし、絶対的な掟ではない。（中略）明白に禁じられていない以上、あらゆることが許されている」[10]というスカルノのイスラーム理解は、今日のリベラル派イスラーム教徒の主張と通じるものがある。

スカルノら独立指導者が定めたインドネシア共和国憲法29条2項は「国家は、すべての国民の信仰の自由を保障し、その宗教及び信仰に従って礼拝を行う自由を保障する」としており、インドネシア国民がいかなる宗教を信仰するのも自由である。

同憲法29条第1項では国家の基礎となるのは「唯一神への信仰」と記されており、これは、イスラームを国教とは指定しないものの無神論を許容しないという、イスラーム勢力への一定の配慮を示すものともいえる。

独立後、イスラーム法に基づくイスラーム国家の樹立を求める反乱も散発したが、世俗国家権力によって鎮圧され、軍出身のスハルト第二代大統領の時代には、イスラーム勢力は共産党壊滅に利用され、その後は警戒の目を向けられた。

スハルトは自らを「開発の父」と呼ばせ、反共・西側諸国との関係重視、反体制勢力を徹底管理し、テクノクラートを重用した経済成長戦略を採用した。いわゆる「開発独裁政権」が1968年から30年にわたって続いた。このスハルト時代において、インドネシアは年率6・7％の高い経済成長を示し、農村から都市への人口移動、中間層の拡大、識字率の向上と高学歴化など、インドネシアの「近代化」が進行した。

欧米や日本の近代化をモデルとする人々にとって、イスラームは停滞の元凶、保守的・前近代的な盲信と映っていた。裏を返せば、近代化が進み社会が豊かになり、教育が行き届けば、若い人々は合理的な考え方をするようになって「迷信」から離れ、イスラームの社会的影響力は弱体化していく、と考えられてきた。

しかし、今インドネシアで進行しているのは、この近代化の定説からはずれる、都市部の中間層、高学歴の、若者たちがイスラーム信仰を強めるイスラーム復興、イスラーム活性化現象である。国民の9割がイスラーム教徒とはいえ、大半はそれまでさほどイスラームの教えを強く自覚してこなかったのであるが、潮目が変わりイスラームが掲げる価値を「善きもの」と考えるようになり、日常生活においても戒律を守り、信仰を実践していこうという意識変化が起きているのだ。この現象は、最近始まったのではなく、スハルト政権下の70年代から目立ち始めた。またインドネシア一国だけでなく、中東、南アジア他世界各地で発生した宗教復興現象とも連動するものでもある。

インドネシア都市部・中間層・青年のイスラーム活性化現象は多面的で、様々な分野においてその影響が現れている。政治的には、イスラーム的価値を重視する有権者が拡大するなかで、選挙においてライバル候補に対して「反イスラーム的」とネガティブ・キャンペーンを張ることが選挙戦術として有効と認識されるようになり、２０１９年大統領選挙のように、イスラーム票をどう取り込むかが勝敗を左右する傾向が強まっている。

経済的にはイスラーム金融（金利の概念を用いない金融）やハラール市場（イスラーム法的に合法な食品、製品の拡大）のように、イスラームが経済成長の刺激となる現象が起きている。

そして、文化ではイスラームをテーマとする新しい文化の創造が続いている。特に「ポップなイスラーム」「クールなイスラーム」といった具合に、欧米や日本が抱いてきた厳格、保守的、攻撃的といった従来のイスラーム・イメージとはそぐわない、新たな習合の形が目立つ。一例として、ギギ（GIGI）というロックバンドを取り上げてみたい。

１９９４年に結成され、芸歴20年を超える実力派ハード・ロック・バンドの彼らだが、２００４年に、イスラーム色の強いアルバムをリリースし、大きな反響を呼んだ。以来、彼らはイスラームへの傾斜を強めた。彼らの「神（Tuhan）」と題するミュージック・ビデオをみてみよう[11]。（インターネット検索サイトに「Gigi　Tuhan」と入力）

オランダのインドネシア文化研究者レオニー・シュミットが、ギギのイスラーム傾斜について分析した「イスラーム・ロックと現代の想像力」によれば[12]、ギギの発するメッセージは、イスラーム教義を今の時代に合わせて柔軟に解釈していこうというリベラル・イスラーム派の主張に共鳴する。つまり「イスラームと近代化は両立する」というのである。

このビデオでは、近代化を意味する大都会と伝統的な緑豊かな村の暮らし、二つのイメージ画像が対比的に登場する。森のなかでギギのメンバーはイスラームの礼拝を連想させる白装束を着て演奏している。伝統的な村の暮らしには静かな祈りがあるのに対して、都市の生活はめまぐるしく世俗的で、二つの世界は隔絶しているかのようだ。しかしビデオの最後に都会の人も車も退行し始め、森の世界に吸い込まれていく。この曲が訴えるのは、イスラームは現代世界にも適応しうる柔軟な宗教、イスラームと近代化はインドネシアにおいて両立しうるというメッセージである。これは、まさに都市部中間層のリベラル・イスラーム青年たちが、イスラーム厳格・排外派との論争のなかで確立しようとしている自己認識でもある。

グローバリゼーション時代を生き、目まぐるしく変動する社会のなかで、イスラームに安らぎを求め、アイデンティティーのよりどころを求めるインドネシアの青年たち。ギギのイスラーム・ロックは、その自己表現の結晶である。

華人系青年たちのアイデンティティー変容

多民族国家インドネシアの国民意識変容について、少数派エスニック集団の視点からも検討してきたい。ここで取り上げるのは少数派ながらも強い経済力を有するがゆえに、多数派の反発を招きやすく、しばしば多数派からの暴力の標的とされる華人系インドネシア人である。まず「華人系インドネシア人」とは如何なる人々であるのか。

「華僑」と「華人」という二つの言葉が存在する。中国政府の定義によれば、「華僑」とは「中国大陸・台湾・香港・マカオ以外の国・地域に移住しながらも、中国国籍をもつ中華民族」を指す。他方、移住した先でその国の国籍を取得した中華民族を「華人」と呼ぶ。

戦前インドネシアで生まれた華僑華人は、自動的に中国とインドネシアの二重国籍をもっていた。この状態の解消を図るために、１９６０年に両国政府は条約を結び、インドネシア国籍を希望する人は62年までに中国国籍を放棄するよう定められた。その後もインドネシア政府は中国籍のままである者たちに圧力をかける政策をしばしば採用した。つまり「華僑」から「華人」に移行させる政策が進められたのである。

２０１０年の国勢調査では、８８０万人が自らを華人系と申告している。これは、人口の３・７％に相当する。華人系インドネシア人が多く住むのは、ジャカルタ、スマラン、スラバヤ、バンドンなどのジャワ島諸都市、メダン、パダン、プカンバルーなどのスマトラ島諸都市である。世界の華人人口の８割近くが東南アジアに集中していると言われているが、そのなかでもインドネシアは、隣国マレーシア、タイや、華人が社会の多数派であるシンガポールを超えて、世界最大の華人人口を擁する国なのだ。

ポスト・スハルト時代の中華文化復権

１９９８年5月、スハルト政権崩壊の直前に大規模な暴動がジャカルタで発生した。暴徒たちが華人系住民の多く住むグロドック地区の商店やビルを襲い、強奪、放火、レイプが横行した「暗黒の5月」として知られる。華人系財閥がスハルト・ファミリーと結託して暴利を貪っていると感じていた民衆の怒りは、華人系住民に向けられたのだ。

無残なのは、被害を被ったのは、政商とは何の関係もない、毎日の生活を懸命に生きている華人系庶民だったことだ。憎悪の炎に油を注いだのは、スハルト時代以前から長くインドネシアで形成されてきた華人系インドネシア人に対するステレオタイプ化された民族像だ。すなわち、「華人たちは経済的利益のみを追求するエコノミック・アニマル」（一時の日本人もこういう語られ方をした）、「権力にとり入ることに長けた狡猾な商人たち」「自分たちの親族・身内で固まって、現地に溶け込もうとしない閉鎖的な連中」「何かあったら中国や海外に逃げ出そうとする、土地に根付かない民族。彼らは『インドネシア』国民でない」等々。

スハルト政権は華人系政商を最大限利用しつつ、華人への差別的感情を国民に植え付け、民衆の怒りを華人に向けさせる狡猾な政策を推し進めた。長年語られてきたステレオタイプ・イメージや民族間の感情的摩擦を変えていくことは容易ではない。それでも、スハルト政権崩壊後に少しずつ、華人系インドネシア人とそれ以外のエスニック集団の緊張を緩和する政策が進められてきた。特に、穏健派イスラーム指導者にして、第四代インドネシア共和国大統領だったアブドゥルラフマン・ワヒッド（愛称グス・ドゥル）の功績は大きい。彼が大統領であった1999年10月から2001年7月までの2年間に満たない短い期間に、華人系インドネシア人に課されていた差別的措置が改められ、権利回復が進んだ。

たとえばイムレック（春節）が、2001年に宗教省の行政令13条により国民祝日と定められた。インドネシアの国民祝日の多くはイスラームもしくはキリスト教、ヒンドゥー教等の宗教に由来しているが、春節という中華文化もインドネシアの宗教・文化の一部であるという認定が国家によって為されたことになる。

これ以外にも漢字広告の公共空間での使用や中国語新聞、書籍の出版発行、中国語学校の開校が認められるようになった。漢字が存在しなかった中国人街、ジャカルタのグロドック地区にも漢字の看板やネオンサインが目立つようになったのは、グス・ドゥル政権以降のことだ。

グス・ドゥル政権下では、華人系インドネシア人の政治的権利回復も進んだ。華人政党が結成され、総選挙にも参戦した。そして、2012年、華人系の政治参加に関して特筆すべき「事件」が起きた。大方の政治評論家の予想を覆して、ソロ市長であったジョコ・ウィドド候補（通称ジョコウィ）が現職候補を破って、ジャカルタ特別州知事に当選したのだが、ジョコウィが指名した副知事候補が華人系国会議員バスキ・チャハヤ・プルナマ（通称アホック）だったのだ。

禁圧政策によってもたらされた華人アイデンティティー変容

東南アジアの華人社会を理解するための概念として、「プラナカン」がある。この用語に関し、様々な定義があるが、大筋、中国から移住してきた華僑の末裔で、東南アジアの現地で生まれ、中国語を話せず、現地文化との混合が進んだ華人系二世、三世のことを指す。現在のインドネシアでは、さらに「プラナカン」化が進んだ四世、五世が社会で活躍している。

この世代が自らを何者か、と考える時に大きな作用を及ぼしているのが、30年以上続いたスハルト政権による中華文化禁止政策である。この政策によって、プラナカンのなかに残されていたささやかな中華文化の世代間継承が断ち切られ、中華文化を親から子へ、子から孫へと伝承していくことは困難になってしまった。

スハルト時代に育った華人系の子どもたちは中国語を学ぶことを禁じられていたので、中国語を話すことも読むこともできない。彼らにとってインドネシア語が第一言語であり、英語が第二言語である。名前も漢人風からインドネシア風に改められた。容貌は漢人であっても、言葉や立ち振る舞いはインドネシア都市部の無国籍的な中間層のそれなのだ。

スハルト時代に生まれ育った世代である華人系インドネシア人にして、大学教員のアイミー・ダウィスは中国政府の招きで中国に滞在し各地で「あなたは中国人でないのか」と問いかけられた経験を「ジャカルタ・ポスト」紙に書いている。中国語ができず、英語で自らについて語る自分を見つめて、「初めて中国を旅し、華人系インドネシア人女性が抱える諸問題について語りながら、私はインドネシアが自分の故郷であり、そこでは自らが誰であっても勤勉、根気、強い意志をもってがんばれば夢をかなえられることを確信した[13]」と語っている。

今後、こうした世代によってインドネシアにおける華人文化の復権は、ゆるやかに進むことだろう。しかしそこから立ち現れる華人文化は、以前にあったものや、現在中国大陸にあるものとは微妙に違うものになろう。

主観的な印象であるが、筆者がインドネシア駐在中付き合ったインドネシアのポップカルチャー業界の製作者、クリエーターやコスプレ愛好者層において、華人系の占める割合が人口比率よりも大きかった気がする。彼らは80年代、90年代に日本のマンガ、アニメを見て育ち、伝統的中華文化よりも現代日本文化に大きな影響を受け、概して親日的感情をもっている世代だ。コスプレを好む彼らの変身願望は、華人系インドネシア人のアイデンティティーのあり様と微妙にからんでいるのではあるま

ビジュアル系バンド「ベルサイユ」のボーカル青年も華人系（筆者撮影）

いか。

いまだ完全に「インドネシア国民」になり切れておらず、自分は何者だろうという存在論的自問、ジャカルタ州のアホック知事が「反イスラーム的」とレッテルを貼られて失脚した事件に見られるようにインドネシア社会の底流に見られる反華人感情、それが１９９８年のジャカルタ暴動の時のように突然暴力の嵐となって襲ってくるという不安、それらが自分以外の何かに変身したいという願望の背景に潜んでいるような気がしてならない。

注

（１）ベネディクト・アンダーソン（白石隆・白石さや訳）『想像の共同体：ナショナリズムの起源と流行』リブロポート、１９８７年、17頁。

（２）倉沢愛子『日本占領下のジャワ農村の変容』草思社、１９９２年、２４２～２６３頁。

（３）同右、２６６～３４２頁。

（４）後藤乾一『「南進」する人びとの近現代史　小笠原諸島・沖縄・インドネシア』龍溪書舎、２０１９年。
（５）同右、２５６〜４０３頁。
（６）Angklung Hamburg Orchestra ft. Gita & Paulus, *Tanah Air*, https://www.youtube.com/watch?v=zGXnPC_GYLw（２０１９年8月24日アクセス）
（７）土屋健治『カルティニの風景』めこん、１９９１年、１８７頁。
（８）アンダーソン、前掲書、２４２頁。
（９）土屋健治『インドネシア思想の系譜』勁草書房、１９９４年、２１６頁。
（10）同右、２１２頁。
（11）Gigi, *Tuhan*, https://www.youtube.com/watch?v=6tNKT9yYtw0（２０１９年8月29日アクセス）
（12）Leonie Schmidt, *Islamic Modernities in Southeast Asia: Exploring Indonesia Popular and Visual Culture*, (London, Rowman &Littlefield, 2017), pp. 61-63.
（13）Aimee Dawis, "Identity matters: Proud to be a Chinese-Indonesian woman," *The Jakarta Post*, February 9, 2013.

2章　シンガポール

エリート主導の無臭アイデンティティー創出と若者の自己探求

シンガポールの概略

国土：720 平方キロ。東京 23 区とほぼ同じ規模の都市国家。

人口：564 万人（うちシンガポール人・永住者は 399 万人）。

政治：立憲共和制。元首は大統領、政治的実権を握るのは首相である。現在の首相は、リー・シェンロン（人民行動党）、初代首相リー・クアンユーの長男で、2004 年に 2 代目首相ゴー・チョクトンから政権を継承した。

経済：2017 年の名目 GDP 総額は 3239 億ドル。1965 年の建国以来、経済は急速に発展し、1994 年からは援助する側の国になった。2006 年から 2011 年までの 5 年間平均実質 GDP 成長率は、6.2% と先進高所得国としては異例の高い成長率を維持したが、その後は 3% に減速し、中期的に経済の減速は続くと見られている。

民族：華人系 74%、マレー系 14%、インド系 9%（2019 年 1 月）。

言語：国語はマレー語。公用語として英語、中国語、マレー語、タミル語が存在する多言語国家である。

宗教：キリスト教 18%、仏教 33%、道教 11%、イスラーム 15%、ヒンドゥー教 5%、無宗教 17.0%（2010 年人口統計）。民族構成を反映し、多様な宗教が混在する。

「シンガポール人」とは誰か

まず、シンガポールの一人当たりGDP6万3798ドルは、日本（3万9305ドル）を大きく上回っており、いまやシンガポールの方が日本より豊かだという事実は、「貧しいアジア」という旧来イメージを引きずる人々にとって驚きだろう。

周辺国と比べてみると、あらためてシンガポールの特殊性が浮き彫りになる。その国土は、隣国マレーシアの0・2％に過ぎないのに、GDP総額は2017年度で比較すると、シンガポール（3239億ドル）がマレーシア（3150億ドル）を上回っている。一人当たりGDPは、マレーシアの5・8倍、インドネシアの16倍以上だ。狭い都市国家ながらも、華人系、マレー系、インド系各エスニック集団が混在する多民族国家で、こうした民族構成を反映して、言語も、宗教も多様である。そもそもシンガポールは、英国植民地時代に移民として華人、インド人が流入して、多民族社会を形成し発展してきた都市である。

建国して半世紀を経たにすぎず、国家としてはかなり若い国、そして多民族都市の多様性を抱える国家シンガポールにとって、「自分たちはシンガポール人」という国民意識を、国家の構成員たちにもたせることは、まさに国家の存在意義に関わる重要課題ともいえる。

本章で後述するシンガポールのミュージシャン、ディック・リーは、2017年9月福岡でこう述べている。

私達は何者か、という途方もない問いが、今までずっと存在し続けています。私達は中国人か？

インド人か？　マレー人か？　みんなシンガポール人だと言えるのか？　最近、マレー人女性が大統領に選出されましたが、その選挙の過程では多くの議論がおこなわれました。シンガポールでは、アイデンティティーの問題は今もなお身近に存在する、差し迫った問題なのです[1]。

苦渋の独立

「シンガポールの国民意識とは何か」を考えるにあたって、まずシンガポール政府が考える「こうであってほしいシンガポール」の自画像を見てみたい。２００８年に公開されたビジット・シンガポール・キャンペーンの3分ビデオである。政府の海外向け観光プロモーション・ビデオは、公定ナショナル・アイデンティティーの具体像を探る格好の素材である。

（インターネット検索サイトに「Visit Singapore | A World of Contrasts」と入力）

このビデオは、「無限の可能性を秘めた場所へようこそ」というメッセージと、高層ビルの下を忙しく行きかうスーツ姿の人々の姿から始まる。ビジネスに、観光に世界中から集まる人々。これぞ未来都市というべき独創的な現代建築、熱帯の緑の色濃い街路樹。そして「多様性が団結する地」というテロップとともに、華人系、インド系、マレー系の子どもたちの笑顔が映し出される。他方、伝統文化もちゃんと残っているぞと、昔ながらの中華街、インド人街、アラブ系商店街に佇むお年寄りの姿も登場し、シンガポールの繁栄を誇示するような夜景とともに映像は終わる。

「クリーンで機能的、外に開かれた近代都市」「伝統と未来が交差する多文化社会」、こうしたシンガポール像を構想したのが、初代首相のリー・クアンユーである。シンガポールに繁栄をもたらした建国の父とされるリーだが、そもそもシンガポールの独立はリーが望み、勝ち取ったものではなかった。1965年8月9日、独立宣言の記者会見で彼の口から出た言葉は、「今は私にとって苦渋の時です」。テレビカメラの前で流した涙は嬉し涙ではなく、悲嘆の涙だった。シンガポール独立の経緯を振り返ってみよう。

大英帝国の東南アジア植民地経営の拠点として、19世紀以来発展してきた都市シンガポールだったが、第二次世界大戦中は日本軍が占領し、華僑の粛清、徴用など過酷な軍政支配が行われた。戦争が終わってシンガポールに戻ってきた英国にかつての国力はなかった。英国は独立の動きを抑え込むことはできず、1959年英国の直轄植民地シンガポールに外交と国防を除く完全内政自治権を付与した。こうしてシンガポールは英連邦内自治州となり、普通選挙制度も導入された(2)。同じ英国の植民地であったお隣のマレー半島には、その一年前の1957年にマラヤ連邦が誕生していたが、シンガポールは1963年にマラヤ連邦とともにマレーシア連邦を結成し、マレーシアの一員となった。

しかしマレー系が過半数を占めるマレーシアと華人系が過半数を占めるシンガポールでは、国造りの基本方針が違っていた。マレー系優先政策をとるマレーシア中央政府と、華人・マレー系平等政策を掲げるリー・クアンユー率いるシンガポール与党人民行動党の対立が激化し、1964年7月の23名が犠牲になったシンガポール人種暴動などの騒動が相次いだ。1963年選挙において、マレーシアの与党、統一マレー国民組織（UMNO）と人民行動党が票を奪い合うライバル関係となっていたこともあり、マレーシアのラーマン首相は両党の関係修復は困難と判断し、シンガポールの存在はマレーシアの統合を危うくするものとして、シンガポールの「追放」を決断した。望まぬ結果にリーは泣く泣く独立宣言をせざるを得なくなったのである。

独立宣言をしたリー首相の苦悩がいかに深かったか。想像してみるとよい。もし東京23区が独立宣言をしたとして、国として自立は可能だろうか。23区は、都市のインフラを支える水の供給を周辺地域から断たれたら、たちまちにして機能不全に陥ってしまう。後背地を持たないシンガポールも、マレーシアからの水が途絶えたら生きていけない。

さらにシンガポールが独立した頃、もう一つの巨大な隣国であるインドネシアもリー首相の不安材料だった。当時インドネシア・スカルノ大統領がマレーシア連邦の成立を新植民地主義と反発して「対決政策」をとり、1965年3月インドネシア軍の工作員が爆弾テロ事件をシンガポールの目抜き通りで引き起こしていた。

シンガポールに好意的でない南北の隣国に挟まれる厳しい状況のなかで、リー・クアンユーは新たに生まれた小さな国シンガポールの建設を始めなければならなかった。独立時の心境について、懸念を伝えてきた英国首相に対して「シンガポールのことはご心配なく。私たちは元気です。我が国民は闘う意志と生存するための素質を有しております」と返信したリー首相だが、内心は「65年8月9日、私はいいしれぬ不安を抱きつつ、何の道標もない道を、見知らぬ目的地へ向けて旅立った[3]」と回顧している。「曲がり角を間違え、もときた道に戻ったこともある」「一難去ってまた一難だった。どの闘いも、勝利を収めるまでは困難を極めたのだ[4]」とも。

今日のシンガポールの繁栄しか知らない世代には想像も付かないかもしれないが、指導者たちは大変な危機意識を抱えて、シンガポールを国際社会の荒波に船出させたのである。初代首相の眠れない日々が続いた。

リー・クアンユーの戦略的な国造り

小さな都市国家で、生存に必要な水資源さえままならず、国内市場も小さく、近代的な企業もないシンガポールのリー首相が打ち出した戦略は、東南アジアの要衝にあるという立地条件を生かしつつ、政府主導で、外国からの投資を呼び込み産業を興し、世界中に工業製品を輸出する道だった[5]。当時、多国籍企業による途上国の土地、労働力、原料収奪という新植民地主義理論が有力であったが、彼は「解決すべき現実の問題を抱えており、教条主義的な考えに関わり合っている暇はない[6]」と取り合わず、積極的に多国籍企業にシンガポールへの投資を呼びかけた。

そのためには、近隣諸国と比べて、よりたくましく、より組織化され、より効率的なシンガポールであらねばならないと、リー首相は経済発展の原則を定めた。外資導入に必要な社会の安定を保つため、野党やメディアは徹底的に管理され、表現の自由は制限された。いわゆる開発主義国家として、シンガポールは国造りを進めたのである。

その結果はどうであったか。独立後の１９６５年から73年までの平均成長率は二ケタ代の12・５％という高度経済成長を記録した。さらに１９８０年代には金融業が発展し、シンガポールは東南アジアの経済発展を支える金融センターとなった。この時代には産業構造に関し、労働集約型から資本集約型、技術集約型への転換が図られ、ハイテク企業など高付加価値産業を海外から誘致した。英国植民地時代の貿易港シンガポールは、多国籍企業の高付加価値製品加工基地、アジアの金融センターへと大きく変貌していったのである。これらは、リー・クアンユーが首相であった25年間という国家の歴史にとっては比較的短期間に達成されたのだから、リーはまさに建国の父である。[7]

開発を支えるエリート教育

リー首相が構想した資本集約型、技術集約型産業発展のカギをにぎったのは、専門的な知識と判断力をもつ人材の育成である。リーは「人材が我が国の最も貴重な資産であることはあまりに明白である。（中略）資源の乏しいシンガポールのような小国にとって、人材は決定的な要素」[8]と教育政策を重視した。国家運営のためには有能なエリート官僚が必要とリーは考えた。なぜなら彼は「自身の首相経験を通じて、有能な大臣や行政官、専門家を起用すれば、自分の政策が効果的に遂行でき、よりよい結果をもたらすということを知っている」[9]からだ。政府は、シンガポールの未来のかじ取りをするエリート育成のために教育に力を入れた。その特徴は、子どもの時から始まる選抜教育と二言語政策である。

政府が作った教育制度では、小学校6年、中学校4年、高校2年もしくは3年、大学4年の体系となっており、小学校と中学校は義務教育である。独立時の国民の識字率は60％であったのが、今では97％に達している。

この国の教育制度で際立っているのが、各段階での厳しい選抜であり、成績によって進路が決められ、成績優秀者にはエリートになるための教育が行われることである。早くも小学校4年生終わりの段階で能力クラス分け試験が行われ、職業訓練学校コースに入ると、その時点で大学進学の道は閉ざされてしまう。小学校終わりに行われる「小学校卒業試験」においても、受験者の2割がふるい落とされる。能力ある者とない者、結局人間とはその2種類である、とリーは醒めた人間観を抱いていた。政府の仕事とは「才能を持っているか否かをすばやく見極めることで、才能のない者を訓練するのは時間の無駄だ」とまでリーは言い放っている(10)。

エリート教育制度の頂点に立つ大学として、シンガポール国立大学、南洋工科大学、シンガポール経営管理大学が君臨する。英国の高等教育情報誌『タイムズ・ハイヤー・エデュケーション』が公表する「世界大学ランキング」によれば、シンガポール国立大学は2019年のランキング23位で、東京大学42位、京都大学65位よりも上位にあり、世界的な学術研究拠点とみなされている。また高校卒業生のなかから優秀な生徒は国費留学生として、海外もしくは国内の大学で学ばせる。そのなかでも最優秀な生徒数名には「大統領特別奨学金」が与えられて、ハーバード大学など英米のトップクラス大学に送り込まれる。彼らは帰国後政府機関において、エリート官僚として働くことが義務づけられているのだ(11)。

政治学者岩崎育夫が言うところの「アジアの伝統的価値とヨーロッパ近代の実用性の二つを国民が習得することをめざす野心的な社会工学的試み(12)」が、二言語政策である。すなわち、英語及びそれぞれの民族の母語を必修科目として学ぶというもので、華人系は英語と中国語、マレー系は英語とマレー語、インド系は英語とタミル語を学ぶ。国際社会で生き抜いていくために必要な英語を学ぶとともに、それぞれの民族的価値・伝統を継承させるために母語を学ぶというものである。

さらに華人系には北京語を学ぶことが求められた。中国語はその内部に多様な方言があり、話し言葉としてお互いの意思疎通が困難なほど違う。シンガポール華人社会には福建人（福建語）、広東人（広東語）、潮州人（潮州語）、客家（客家語）が多く、それぞれの家庭ではこれら地方語が話されていた。そのため、華人社会全体の意思疎通がとれず、まとまりを欠くという問題があり、シンガポール政府は共通語である北京語（マンダリン）を使おうというキャンペーンを1979年に開始し、学校教育でも北京語を華人社会の共通語として教えたのである。華人家庭の言語習慣を変えるのは容易ではなく、高齢者が言語を切り替えることは難しい。リー首相も中高年齢者の真の母語は各家庭で話される方言であることを認めつつ、若者は順応性が高いとにらんでいた。シンガポール華人の若い世代は、北京語会話能力をめきめき上達させた。北京語を話す家庭は1980年に26％であったのが、90年には60％にまで増加し、さらに増え続けていると、リーは二言語政策の成功を誇っている[13]。

アイデンティティーをテーマにするポップス

ちっぽけな都市国家が生き残るため、徹底した選抜と能力主義から育成されたエリート官僚。彼らが設計する効率的で清潔かつ安全な未来型都市空間。政府が管理する多民族社会の安定とそれを土台とするシンガポール国民意識の形成。

これら、リー・クアンユーが練りあげた社会工学は、シンガポール独立から半世紀の歩みを見る限り、めざましい成果をあげてきたように見える。しかし、人間はこのような人工的な社会に満足できるのだろうか。インドネシアに駐在していた頃、時おり出張でシンガポールを訪問する機会があった。喧噪と渋滞のジャカルタとは対照的なシンガポールは、確かに仕事をする上で快適で、その利便性をありがたく感じるのだが、3日もすると息苦しさを感じるようになって、早くジャカルタに戻りたいと思うようになるのだった。

もう一人のリー、冒頭で触れたシンガーソングライターのディック・リーも、シンガポール政府の言語政策から少し落ちこぼれた若者の一人だった（以下、リー・クアンユーと区別するため、ディック・リーのことは「ディック」と記す）。

祖父の代に中国の広東から移住してきたディックの家庭では、広東語が話されていた。1956年生まれのディックにとって、シンガポール独立は彼が9歳の時。政府の二言語政策により、学校で英語と北京語を学んだディック少年だが、英語はまだしも、北京語を学ぶ意欲があがらず、結局広東語は話すだけで読み書きはできず、北京語は話すこともできないというどっち付かずの状態になってしまった。[14]シンガポール政府は、英語に傾斜しすぎてアジアの伝統的価値の希薄な若者が生まれることを警戒して二言語政策をとったが、ディックのケースはその思惑通りにいかなかった事例だ。

ディック・リーは、アジアを代表するポップ・カルチャーの旗手として、2003年に福岡アジア文化賞を受賞しているが、同賞委員会はその授賞理由を以下のように述べている。

中国系の家系でありながら中国語が話せず英語を話すという現実を背負い、自己のアイデンティティを追求しつづける中で、ディック・リー氏の音楽は開花していった。また、英語のシンガポール訛りとも言うべき「シングリッシュ」に愛着を持ち、自作の曲に使用してその再認識を深めるなど、自らの文化を主張する姿勢は、東南アジアのみならずアジア全体に根ざす音楽の発展

を意図する活動として非常に貴重である。(15)

まさにディックは、シンガポールのアイデンティティー、国民意識をテーマに自分の音楽を創作してきた。そして、それはリー・クアンユー首相のシンガポール国家設計図に対するやんわりとした批判であったともいえる。

1986年ディック・リーに接触し、彼の音楽を最初に日本に伝えた朝日新聞学芸部記者(当時)の篠崎弘は、シンガポールのアイデンティティーをめぐる政府とディックのずれを知る歌として「ラサ・サヤン」を挙げている。彼の代表的アルバム『マッド・チャイナマン』(1989年)の1曲目に収録されている曲で、マレーシア、シンガポール、インドネシアで愛されている民謡を、シンガポール人独特の英語シングリッシュによるラップでアレンジした彼の最初のヒット曲である。しかしシンガポール政府はラジオ、テレビで放送することを一時禁じていた。

インターネット上にそのミュージック・ビデオ動画が流れているので視聴してみたい。(インターネット検索サイトに「Rasa Sayang/Dick Lee」と入力)

華人系のディックとインド系、マレー系とおぼしき仲間が、まだ高層ビルも今ほど多くない、エスニックな雰囲気も残るシンガポールの街角に入り込んで、軽快にラップのリズムを刻む。そこで歌われている言葉のいくつかを拾いあげてみる。

さて、ちょっと説明させてもらおう。ここはただの南洋の島じゃない

ここでは何でも最高じゃなくちゃいけないんだ
なにしろ偉大な東洋と素晴らしい西洋の中でも最高の場所なんだから
（中略）
仕事についても万事ＯＫ。人生はまったくホリディみたいなもの
気ままなもんさ、心配事なんてない。北のほうの国々とは大違い
（中略）
仕事はうまくいってるし、今度はコードレス電話を買おう
ミスシンガポールを奥さんにして子どもは二人以上
これがいわゆるシンガポール・ドリームってやつ
正直いえよ、金が欲しいんだろ？

つまり、本音はどうなんだい？　まあ、文句はいえないってところかな
幸せだっていうのかい？　シンガポール人は不平屋で有名だってぇのに
ま、うっぷんを晴らしたい時もあるけどね。いっしょに歌おうぜ
（訳：篠崎弘[16]）

リー・クアンユーが本当の英語からかけ離れたニセモノと毛嫌いし、シンガポールの公共空間から

排除しようとしているシングリッシュを用いて、シンガポール政府の国造り政策を茶化すディックの態度は、長々と訓示を垂れる口うるさいオヤジに反抗する若者のようだ。

この歌が世界的にヒットして政府も解禁せざるを得なくなってから30年の歳月が過ぎた。建国の父リー・クアンユーは逝き、その息子が首相の座に就き、ディック・リーも還暦を越えた。今やアジアで最も豊かな国の一つシンガポールでは、世代交代を通じて、クセのない「きれいな英語」を話す若者が増え、そのなかでも華人系の若者は経済大国中国とのビジネスのために北京語能力に磨きをかける。

独立以来、人民行動党の一党支配が続いているが、２０１１年総選挙では独立以来最低の得票率を記録し、一部選挙区で初めて野党候補の当選を許した。経済的にはもはやかつてのような高度経済成長は望めないなかで、人件費・地代の高騰、外国人労働者への過度な依存等の課題が出てきた。社会的にものびよる高齢化とそれに伴う福祉コスト増、過度な競争により落ちこぼれる若者の増大等の問題が出てきた。２０１３年には40年ぶりにリトル・インディアで外国人労働者らの暴動が発生している。リー・クアンユーが敷いた開発路線は、岐路に立っているのである。

そのような状況のなかで、次第に社会の片隅に追いやられつつあるシングリッシュを、これもシンガポール・アイデンティティーの一つ、と擁護する声が根強くある。(17) また英国植民地時代、中国から移住してきた華僑の末裔が現地化することで生まれた「プラナカン」と呼ばれる文化を保存しようと、プラナカン博物館が２００８年にシンガポールに設立された。(18)

リー・クアンユーが考えた上からの社会統合による新たな国民意識形成のベクトル、これに反抗し統合圧力からすり抜けたところから生じる下からの文化形成のベクトル。二つのベクトルは今もせめぎ合っており、そうしたせめぎ合いのなかで、新たなシンガポール・アイデンティティーの模索が続いている。

注
(1) 国際交流基金アジアセンターウェブサイト「ディック・リー――皮肉と運命とフォークソング：音楽を通じて生み出されるアイデンティティと帰属意識」https://jfac.jp/culture/features/f-ah-fiff2017-dick-lee/3/（2019年8月31日アクセス）
(2) 岩崎育夫『物語　シンガポールの歴史　エリート開発主義国家の200年』中公新書、2013年、58〜77頁。
(3) リー・クアンユー（小牧利寿訳）『リー・クアンユー回顧録　下』日本経済新聞社、2000年、7頁。
(4) 同右。
(5) 岩崎、前掲書、115頁。
(6) リー、前掲書、51頁
(7) 岩崎、前掲書、131〜135頁。
(8) リー、前掲書、130頁
(9) 同右、131頁。
(10) 岩崎育夫『リー・クアンユー――西洋とアジアのはざまで』岩波書店、1996年、161頁。
(11) 同右、124頁。
(12) 岩崎、前掲『物語　シンガポールの歴史』、147頁。
(13) リー、前掲書、148頁
(14) 篠崎弘『ぼくはマッド・チャイナマン：ディック・リーが奏でるシンガポールの明日』岩波書店、1990年、

24〜25頁。

（15）福岡アジア文化賞ウェブサイト「２００３年芸術・文化賞受賞／ディック・リー」http://fukuoka-prize.org/laureate/prize/cul/dicklee.php（２０１９年９月３日アクセス）

（16）篠崎、前掲書、34〜35頁。

（17）たとえば Lionel Wee, *The Singlish Controversy: Language, Culture and Identity in a Globalizing World*, Cambridge, Cambridge University Press, 2018.

（18）Peranakan Museum, About Us, https://www.peranakanmuseum.org.sg/about（２０１９年９月３日アクセス）

3章 マレーシア

国民的漫画が描いた
マレー人優先政策下の社会変容

マレーシアの概略

国土：33万平方キロ。日本のほぼ9割の規模。意外と大きいのは、ボルネオ島北部に国土の6割を占める熱帯雨林を有するから。

人口：3200万人。

政治：立憲君主制。元首たる国王は9州の君主の統治者会議で互選（実質的には輪番）される。政治的実権を握るのは首相である。2018年5月選挙では野党を率いて元首相のマハティール・ビン・モハマド（希望連盟）が与党の統一マレー国民組織（UMNO）に勝利し、1957年の独立以来の初めての政権交代を実現した（2020年2月辞職）。議会は、上院、下院の2院制。

経済：2018年の名目GDP総額は3540億ドル。一人当たりのGDPは、1万942ドルで、アセアンのなかではシンガポール、ブルネイに次いで高く、ロシアに近い水準（ジェトロ統計）。1981～2003年のマハティール政権下において、工業化と経済成長に成功し、中進国の仲間入りを果たし、シンガポールと並んで「東南アジア経済の優等生」と呼ばれた。

民族：マレー系69%、華人系23%、インド系7%。シンガポールと比べると、マレー系と華人系の比率がちょうど逆になっている点に注目。

言語：国語はマレー語。中国語、タミル語、英語。

宗教：イスラーム61%、仏教20%、キリスト教9%、ヒンドゥー教6%、儒教・道教1%、そのほか。憲法3条においてイスラームは「連邦の宗教」と定めるが、同条は同時に他の宗教を信仰する自由をも保障している。

観光キャンペーン映像から考えるマレーシアの過去と現在

マレーシアに関して、前章で述べたシンガポールと比較すると、その特徴をより深く理解できる。マレーシアも、シンガポール同様に英国の元植民地であり、マレー系、華人系、インド系からなる多民族社会である。シンガポールと違うのは、シンガポールは華人系が多数派（74％）なのに対して、マレーシアはマレー系が多数派（69％）ということだ。

シンガポール同様に、政府が望むマレーシアの自画像を知るために、政府が製作した海外観光客向けのキャンペーン・ソング「マレーシアは本当のアジア」のカラフルな映像を見てみよう。

きらびやかな大都会クアラルンプールの姿と豊かな熱帯の自然が交互に映し出され、そのなかにマレー系、華人系、インド系それぞれの伝統と生活が織り込まれている。ゆったりとしたリズムはやがてアップビートに変わり、ダイナミックに発展を遂げたこの国のエネルギーが表現される。5分間の映像から、この地域が数百年のあいだに経験した社会変容をうかがい知ることができる。

まず大きな変化は19世紀英国の植民地経営から生じた。元々マレー人が住んでいた地域に、植民地開発に必要な労働力として華人、インド人が送り込まれ、人口に占める華人系の比率は19世紀前半8％から1931年には40％に、インド系比率は4％から15％に増え、逆にマレー系比率は88％から45％まで減少した。こうして多民族国家マレーシアの骨格が植民地時代に形成されたのである(1)。

さらに第二の変化は独立以降のマレーシアの近代化によってもたらされた。経済成長とともに、これまで村落で伝統的な暮らしを送ってきたマレー系は都市に移り住むようになり、近代的かつ多文化的空間を生きる中間層が新たに登場してきたのである。

漫画『カンポン・ボーイ』『タウン・ボーイ』

マレーシアの社会変容を学ぶ上で、格好の教材となるのが、漫画家ラットの自伝的代表作『カンポン・ボーイ』『タウン・ボーイ』である。両作品は、マレーシアの国民漫画ともいうべき存在で、マレーシア社会で広く読まれ、後にアニメ化されている。海外にも紹介され、前者は80年代、90年代に邦訳されているが、東京外国語大学出版会とマレーシア翻訳・書籍センターの共同出版で新たな訳本が2014年、15年に発行された[2]。

ラットも前章のディック・リー同様に福岡アジア文化賞を2002年に受賞しているが、同賞委員会は授賞の理由として、「ラット氏の作品に込められた、社会を見つめる鋭い、しかし温かなまなざしは、伝統文化と精神的な風土を包み込み、アジアの発展を考える上で多くの示唆を与えている[3]」と述べている。

ラットは1951年ペラ州コタ・バルの生まれ。『カンポン・ボーイ』に描かれている世界は、英国植民地以前から存在したマレー人の伝統的村落世界だ。すなわち多民族社会が形成される以前の、華人も、インド人もいないマレー人だけの世界である。彼がこの漫画を描いたのは、かつて存在した父母や祖先の故郷を、自分の子どもや若者たちに伝えたいという動機からだった。木立に囲まれた高床式の伝統家屋、様々な果実が実る豊かな森、割礼儀式等地方の習俗とイスラームが習合した伝統習慣[4]。ノスタルジックな気分が作品全体に漂う。

そしてラットの家族が1962年に村からマレーシア第三の都会であるペラ州州都イポーに移住したことにより、少年ラット自ら、マレー人社会から多文化社会への変化を体験する。『タウン・ボー

日本で翻訳出版された『カンポンボーイ』（東京外国語大学出版会刊、左右田直規監訳、稗田奈津江訳）

イ』を監訳した左右田直規の解説によれば、当時のイポーの人口は12万人で、華人系67％、マレー系15％、インド系13％と華人系が3分の2を占めており、マレー系はこの都市では少数派だった。『タウン・ボーイ』は、1960年代後半のこの都市が舞台で、少年に成長した主人公マットと親友フランキー（華人系）の出会い、友情、別れがテーマとなっている。ラットが中等学校最終学年であった1969年に、クアラルンプールでマレー人と華人の大規模な衝突が発生し、犠牲者が出る。『タウン・ボーイ』には、こうした民族間の対立は描かれていない。後述するマレー優遇策が導入されるとともに経済成長が始まる直前の、まだのどかさが残る地方都市の時代の雰囲気を60年代カルチャーとともに味わうことができる。

ラットが通学していた学校は当時英語で授業が行われていたが、70年代マレー優遇政策の一環として学校で使われる言語は英語からマレー語に切り換えられる。『タウン・ボーイ』の終盤で、卒業を間近に控えたフランキーが、主人公にロンドン留学を打ち明け、二人無言で空を見上げるシーンは、マレー優遇政策に将来を悲観した華人系若者の海外流出を思い出させ、この作品が単なるノスタルジーだけではなく、ほのかに苦い社会批評も含んでいることを感じさせる。

ブミプトラ政策の始まり

マレーシアの国民意識を考える時に、同国政府の「ブミプトラ政策」が国民統合にどのような影響を及ぼしてきたのかを検討する必要がある。「ブミプトラ」とは「その土地で生まれ育った子ども」を指すマレー語で、すなわちマレー人及びサバ州、サラワク州の先住民族を意味する。彼らが植民地時代になってからやって来た華人系、インド系と比べて経済的に低い地位に置かれていることを問題として捉え、ブミプトラを優遇する施策を通じて経済格差を解消し国民統合を図ろうというのがブミプトラ政策である。ここではマレーシア経済研究者の小野沢純のブミプトラ政策研究[5]を参照しながら、この政策の輪郭をスケッチしておこう。

一般的にブミプトラ政策の始まりは、1971年に導入された「新経済政策」(NEP)であるとされるが、NEP以前の英国植民地時代に設置された、マレー人農民の経済支援を行う農村・工業開発庁(RIDA)がブミプトラ政策の原形であり、1957年の独立時に施行されたマラヤ憲法においてマレー人の特別な地位が明記されたことがブミプトラ政策の法的根拠となったことを、小野沢は指摘している[6]。

独立時、マレー人の所得は華人所得の半分以下であった。マレーシアが独立してマレー人の特別な地位が謳われているにもかかわらず、状況が改善されないことに、マレー人の不満が高まっていた。1969年5月クアラルンプールで大規模なマレー人・華人間の暴動が発生し、200人近い犠牲者が出た。この事件を契機に、政府はそれまでの経済の自由放任政策を放棄し、経済格差是正に政府が積極的に介入する新政策をまとめた。これが前述のNEPである。

NEPは、実施期間を1971年から1990年までの20年間と設定し、具体的な手段として、①マレー人の雇用率引き上げ、②株式資本の民族間不均衡を是正し、90年までにマレー人30％（70年1・9％）、非マレー人40％（同37・4％）、外国資本30％（同60・7％）に再編、③ブミプトラ企業育成のため政府が公企業を通じて商工分野へ直接参入、等の措置がとられた。

NEPは単に経済政策だけでなく、教育分野にもまたがる包括的なアプローチであった。教育面では①初等教育段階での英語学校廃止、②中等教育以上の国家試験を英語からマレー語に切り替え、③大学の入学枠（ブミプトラ55％、非ブミプトラ45％）といったマレー優遇策が教育の現場に導入されていった。

1981年に第四代首相に就任したマハティール・ビン・モハマド（在職1981～2003年、2018～2020年）は、NEPを引き継いだ。NEPの期限である1990年が近づくと、ブミプトラ政策を継続すべきか否か、国論は二分された。マハティール首相は民族間の経済格差は是正されておらず、ブミプトラ政策は必要であるが、これまでのようなマレー人一律優遇政策はマレー人に甘えの意識をもたらし、弊害もあるので、効率と競争に基づく選択的なブミプトラ政策に改める方針を示した。NEPに代わる新たな国家目標として2020年までにマレーシアに先進国の仲間入りをさせるという「2020年ビジョン」を、マハティールは掲げた。このビジョンのなかで、これまでマレー系、華人系、インド系という枠に囚われすぎていたとして、こうした民族を統合した「バンサ・

マレーシア（マレーシア国民）」を形成しようと提唱した。この「バンサ・マレーシア」は「一つの国民」であることを意識しながら、同時に各民族の伝統、文化、宗教を尊重し、他民族に寛容であることを意味する。まさに冒頭のマレーシア観光キャンペーン・ソング「マレーシアは本当のアジア」が描き出したイメージだ。

マハティールのブミプトラ政策認識

マハティール自身は、ブミプトラ政策をどう見ていたのか。

日本を手本とするルック・イースト政策を掲げ、マレーシアの工業化・近代化を推進し、今日のマレーシア繁栄の立役者とされるのがマハティールである。インド系の先祖もいるマレー系であるマハティールは、長年その強烈な個性でマレーシア政治の主役を演じてきた。そして、15年ぶりに引退から復帰して首相（第七代）の座に戻った後も、マレーシアのあり様について国民に辛口の問題提起をする姿勢を崩さなかった（2020年2月、政権内部の混乱の責任をとって辞任）。

駆け出し議員時代、マハティールの論敵だったリー・クアンユー議員（当時シンガポールはマレーシアの一部）から「超マレー主義者」と非難されるほど、マレー系優遇策強硬論を論じて、マハティールは中央政界で注目される存在となった。[7] NEPが導入されるきっかけとなった1969年暴動の直後、マハティールは時のラーマン首相にその無為無策を非難する手紙を送り、ラーマンを激怒させ、与党「統一マレー国民組織（UMNO）」から除名されてしまう。

この除名にめげず、ラーマン首相の自由放任政策を批判し、「マレー人が力を付けるまで優遇措置をとるべき」と世に問うたのが、１９７０年にシンガポールで出版された『マレー・ジレンマ』である。この本はマレーシア国内では直ちに発禁処分を受け、その処分は彼が首相に就任する１９８１年まで続いた。

同書においてマハティールは、「マレー人のジレンマとは彼等が陥っている経済的な苦境を是正する努力が少ししかなされていないというだけでなく、経済的な苦境がそもそも存在するということに言及することさえ悪いことだとされていること」[8]と述べ、「人種間に特別待遇をしないことが、マレー人の不利益に作用しがちであるがゆえに、マレー人は自分たちに何らかの交渉力を付与するようなシステムに固執しなければならない」[9]と訴え、ブミプトラ政策の必要性を説いた。

政権から放逐され野にあったマハティールであるが、『マレー・ジレンマ』は少なからぬ影響を与えた。ラーマンの後を継いだアブドゥル・ラザク政権がＮＥＰを打ち出したのだが、この策定に関わったスタッフのあいだでひそかに『マレー・ジレンマ』は読まれていたという。マハティールは一度目の政権の首相だった１９９５年に日本経済新聞に連載した「私の履歴書」のなかで、「ＮＥＰの内容が、私の書いたことを踏まえていることは明らかだった」[10]と述べて、ブミプトラ政策作りの産みの親であることを自負している。しかし、その子は産みの親の期待通りに育っただろうか。

２０１３年に日本で出版された回顧録のなかで、22年間続いた一度目の政権が終わる頃の心境として、「『マレー・ジレンマ』で書いた、マレー人に関わる基本的な問題点はいまだに解決できていない」と、マハティールはブミプトラ政策を総括している。ブミプトラ優遇政策はマレー人の甘えを増長させ、「最初にＮＥＰを導入して40年が経つが、マレー人による法人への富を全体の30％にする目標はいまだ達成できていない[11]」と不満を示し、彼の思い入れが強かった「大学に入学できるマレー人の優遇政策についても機会の浪費といえる[12]」とマレー系同胞への厳しい見方をして、「私はマレー人を変えることはできなかった[13]」と嘆いている。2018年再び政権に返り咲いたマハティールが、ブミプトラ政策の見直す動きを見せたことに対して、マレー系が反発し、政権支持率は低下した。

マレー人のイスラーム意識の変化

「私はマレー人を変えることができなかった」とマハティールは嘆息するが、一度目の22年間の政権下、マレー系の意識において起きた変化もあった。それは彼らの大半が奉じるイスラームという宗教との向き合い方である。

マレーシアの村落社会では、各地の慣習と結びついた伝統的なイスラーム信仰が長い間主流であったのが、マレー人が村から都市へと移り、教育を受けた中間層という今までなかった階層の人々が増えた。こうした都市部中間層のあいだで「イスラーム意識の活性化」ともいうべき現象が1970年代から目立つようになっていたのである。マハティールの時代には、この現象はさらに加速した。

イスラーム大国の隣国インドネシアでも同様の現象がみられる点は1章で触れた通りである。これは、インドネシアのみならず、70年代以降世界のイスラーム地域において発生しているグローバルなイスラーム復興と共鳴する現象でもある。

マレーシアではブミプトラ政策が導入された70年代初めから、「ダアワ運動」というイスラーム復興運動が社会的な影響力を持ち始めた。元々マレーシアには50年代から野党として、「全マレーシア・イスラーム党」（ＰＡＳ）が存在し、マレー人イスラーム教徒の政治的受け皿となっていたが、あらたに「マレーシア・イスラーム青年運動」（ＡＢＩＭ）がマラヤ大学の学生グループによって結成され、「イスラームの原則に基づく社会の建設」を訴えて、勢力を拡大させた。さらに中東のイスラーム主義の影響を受けた、より急進的な「イスラーム代表評議会」（ＩＲＣ）が、マラヤ大学の理系学生を中心に支持を集め、ダアワ運動を進めた。

マハティールは、ＰＡＳと急進的ダアワ運動が結びつくことを内政上の一大脅威と考えていた。そこで彼が選んだのは、ダアワ運動と対決するのではなく、その一部を取り込んでいく策である。イスラーム銀行の設立、イスラーム法制度の整備、国際イスラーム大学の設立、イスラーム医療センターの設置を進め、ＡＢＩＭのカリスマ的リーダーだったアンワール・イブラヒムを宗教省副大臣として取り込むイスラーム重視政策を打ち出した。

こうしたイスラーム政策は、欧米諸国からはマハティール政権の「ＡＢＩＭ化」と警戒されもしたが、マハティールによれば、彼が意図したのは、穏健派イスラームを取り込むことで、「イスラーム過激主義への回帰を説く勢力を封じ込めよう」ということであったのだ[14]。

「イスラーム活性化」「イスラーム復興」という言葉は、昨今の情勢から政治的次元で注目され、テロや人権抑圧と結びつけられて議論されがちである。しかし、イスラーム復興が起きているインドネシアやマレーシアの現場に立つと、この現象は単に政治のみならず、経済、社会、文化と様々な次元に拡がっており、多様な性格を帯びていることに気づく。

「迷妄なイスラームは経済発展の障害」という見方に対して、イスラーム教徒が大半のインドネシアやマレーシアで経済成長が進み、その成長の担い手かつ享受者がイスラーム覚醒した都市部中間層の若者であるということは、イスラームは必ずしも経済発展の障害でないことを示している。むしろイスラーム復興が新たな市場を創出し、消費を促す、「イスラームと資本主義の共鳴」ともいうべき現象が起きているのだ。ジェトロによればイスラーム法的に合法な食品、製品を扱うハラール市場の拡大が世界的な注目を集めている。マレーシアは1994年に世界で初めて政府がハラール認証を行う制度を導入した。イスラームを経済成長の動力源としようという戦略である。世界的規模でのハラール市場拡大の牽引車の役割を担ってきたのは、中東諸国ではなく東南アジアのマレーシアなのだ。

イスラームと近代の折り合い：ポップ・ナシッド

経済という物質的な面だけではない。なかには欧米の市民社会が重視する人権、平等、福祉、環境等のリベラルな価値観を拡げていこうという運動もある。イスラーム意識に目覚めた若者が、僻地農村の子どもたちの教育に取り組む事例も多い。イスラームが社会資本として機能しているのである。

マレーシアのイスラーム復興の多面性を感じる材料として、マレーシア理科大学タン・ソオイ・ベンの論考[15]を参照しつつ、同国で人気の高いポップ・ナシッドを取り上げてみたい。

イスラーム圏において、ナシッドとは神への賛美やイスラーム的価値を説く宗教歌謡であるが、マレーシアでは第二次世界大戦前に、宗教学校の教師と学生たちが歌い始めたとされる。当初歌詞はアラビア語であったのがマレー語に替わり、学校でも奨励され、政府宗教省もこれに目をつけ、同省が主催する事業のなかでも歌われるようになった。

さらに70～80年代に入ってイスラーム復興運動を担った都市部中間層の学生たちが、自分たちの信じる近代的なイスラーム理解を社会に拡げる手段として、ナシッドに注目したのである。イスラーム復興運動を取り込もうとする政府もナシッドを積極的に活用した。マハティール首相の提唱する「ビジョン２０２０」を普及するために「新時代のナシッド」運動を首相府が旗振り役となって推し進めた[16]。国策としてのナシッドである。

タンによれば、90年代のグローバリゼーションの進展とともに、商業的な新しいナシッドの形態が現れた。これはポップ・ナシッドと呼ばれる。イスラーム的価値を賛美する基本形は守りつつ、アカペラや楽器演奏に欧米のポップスや世界各地の打楽器も取り入れた、新たなナシッドである。ポップ・ナシッドのパイオニアが、「ライハン（天国の香り）」だ。１９９７年に発表された彼らの初アルバム『神への賛美』は65万枚売れ、当時のマレーシアにおいて最大のヒットとなった。

彼らの商業的成功を受けて、様々なポップ・ナシッドのグループがマレーシアに登場した。彼らは世界の音楽市場に敏感で、ヒップホップ、ロックなどのリズムや演奏形態なども取り入れるなどの実験的な音楽作りに積極的だ。音楽を売り出す手段としてビデオ・クリップを製作するという手法も、国際的な音楽市場から学び、かつイスラーム圏への輸出を意識したものである。前述ライハンの、「マッカ巡礼は神をめざす」（Haji menuju Allah）という題名のポップ・ナシッドのビデオ・クリップを見てみよう。

モスクとおぼしき宗教施設のなかで、親しみやすいトーンの男声アカペラが神への帰依を説くというイスラーム的要素にあふれた映像が、ビデオ・クリップという今日的な商業音楽のフォーマットに基づき、インターネットを通じて世界中に配信されている。

タンによれば、ポップ・ナシッドはイスラームの近代的理解とコマーシャリズムの「うまい折り合い」を付けることで、マレーシアの若い世代の心をつかんだ。ポップ・ナシッドもまた、マレーシアが経験した（かつ現在進行中でもある）巨大な社会変容が生み出した新たな国民意識の結晶の一つといえるかもしれない。

注

（1）林田裕章『マハティールのジレンマ：発展と混迷のマレーシア現代史』中央公論新社、２００1年、１６８頁。

（2）ラット（左右田直規訳）『カンポンボーイ』東京外国語大学出版会、２０１4年。ラット（左右田直規・稗田奈津江訳）『タウンボーイ』東京外国語大学出版会、２０１5年。

（3）福岡アジア文化賞ウェブサイト「２００２年芸術・文化賞受賞／ラット」http://fukuoka-prize.org/laureate/prize/cul/lat.php（２０１9年9月3日アクセス）

（4）福岡アジア文化賞受賞の際に行われた市民フォーラムでのラットの発言。福岡アジア文化賞ウェブサイト「２００2年芸術・文化賞受賞／市民フォーラムレポート」http://fukuoka-prize.org/event/2002/forum.php#lat（２０１9年9月3日アクセス）

（5）小野沢純「ブミプトラ政策：多民族国家マレーシアの開発ジレンマ」、『マレーシア研究』№１、２０１2年3月、2～36頁。

（6）同右、６～10頁。

（7）マハティール・ビン・モハマド（高多理吉訳）『マハティールの履歴書：ルック・イースト政策から30年』日本経

済新聞出版社、２０１３年、２１７〜２１８頁。

（８）マハティール・ビン・モハマド（高多理吉訳）『マレー・ジレンマ』勁草書房、１９８３年、81〜82頁。

（９）同右、２４１〜２４２頁。

（10）マハティール、前掲書『マハティールの履歴書』、２２５頁。

（11）同右、１５７頁。

（12）同右。

（13）同右、１５８頁。

（14）同右、２５１頁。

（15）京都大学東南アジア地域研究研究所 Kyoto Review of Southeast Asia ウェブサイト、タン・ソオイ・ベン「イスラーム的近代性を歌う：マレーシアにおけるナシッドの再創造」https://kyotoreview.org/issue-8-9/イスラーム的近代性を歌う：マレーシアにおける/（２０１９年９月３日アクセス）

（16）同右。

4章　フィリピン

ミュージカルで再解釈された「フィリピン独立の父」

フィリピンの概略

国土：29万平方キロ。日本のほぼ8割の規模。7000を超える島々からなる群島国家。

人口：約1億人。世界12位の人口大国。過去15年間に3割増という、急速な人口拡大で2015年調査において1億人を突破していることが判明。2025〜30年頃には日本の人口を超えると予想されている。国民の平均年齢は25歳と、アジア近隣国と比べて圧倒的に若く人口ボーナスは2050年頃まで続くと予想される(1)。

政治：立憲共和制。元首であり政治の実権を握るのは大統領で、国民の直接選挙により選出される。任期は6年、再選は禁止されている。

経済：2018年の名目GDP総額は3309億ドル。一人当たりのGDPは3104ドル。

民族：マレー系が中心だが、言語によって様々なエスニック集団が存在する多民族国家。華人は100万人を超えるといわれるが、その90％が福建省出身でスペイン植民地時代に商業移民としてフィリピンにやって来た(2)。フィリピン現地民との結婚によってフィリピン社会への融合が進んでおり、ドゥテルテ大統領も母方の祖父が華人。人口比率は少ないが、フィリピン社会に少なからぬ影響力をもつ。

言語：タガログ語、セブアノ語、イロカノ語等170以上の多様な言語が存在する多言語国家。そのなかで国語は憲法において1987年にフィリピノ語（実質的にタガログ語）と明記された。公用語はフィリピノ語と英語。米国植民地の遺産としてフィリピン人は英語が得意とされるが、貧富格差による英語能力格差が大きい。

宗教：キリスト教93％（カソリック83％、プロテスタント10％）、イスラーム5％。ミンダナオ島で人口の2割以上がイスラーム教徒。

フィリピン国民意識の形成をめぐって

独裁政権やクーデターが相次ぎ政治は不安定、経済は停滞し貧富格差はひどく、汚職・犯罪が蔓延する国。そういう否定的イメージが強かったフィリピンが、21世紀に入ってから経済は好調、中間層が拡大している。特に2012年以降は6％を上回る高い成長率を達成している。2016年時点で2000年と比べて、名目GDPは4倍、一人当たりGDPは3倍に拡大した[3]。国民が若く活力のあるこの国は、最近では「アジアの希望の星」とまで言われ、投資家から熱い視線を向けられている。たびたび暴言をはいて、国際世論のまゆをひそめさせるフィリピンのドゥテルテ大統領であるが、その奔放な言動の背景に、国民の支持を受けている自信（慢心？）が見てとれる。麻薬犯罪容疑者を超法規的に殺害するなどの彼の強権的政治姿勢は国際的に批判されたが、国内では汚職や犯罪の蔓延に不満を抱いていた国民に支持された。自信を深める国の指導者と、社会の現実に潜む深い闇。躍進がもたらす光と影が交差するフィリピン。

ところでフィリピン人は、いつの頃から自分たちのことを「フィリピン人」と考えるようになったのか。インドネシアに次いで世界で2番目に島の数が多い国であるフィリピンでは、スペインがやって来る16世紀まで、この地域全体を支配する強大な権力、国家は存在しなかった。様々な言語に基づく小さな共同体「バランガイ」が点在し、それぞれのバランガイのあいだには同胞意識はなかった。

そうした状況に変化が現れるのは、19世紀に入ってからである。スペインの植民支配を受けるなかで、スペイン人から差別され見下された人々が「我らフィリピン人」というアイデンティティーを育て、20世紀半ばに新たな国民国家フィリピンを誕生させた。インドネシア同様に植民地体制下で「想像の共同体」が形成されていったのだ。本章では、こうしたフィリピン国民意識の形成を、フィリピン独立の英雄とされるホセ・リサールの生涯と彼が遺した小説のなかに振り返り、それが、現代フィリピンにおいてどのように語り直されているのか、ミュージカルや映画を題材に考えてみたい。

「フィリピン」という国家を「想像」した独立の英雄

半世紀前の日本では、「16世紀、探検家マゼラン率いるスペイン艦隊が、初の世界周航を達成した。しかしマゼラン自身はフィリピンにおいて原住民との戦闘で命を落とした」と欧米の視線から「大航海時代」が教えられていた。

しかしフィリピンで暮らしていた人々の視点からすると、突然水平線の彼方から現れ武力を背景に交易と改宗を迫ったマゼランはまぎれもなく侵略者だ。マゼランを倒したマクタン島の首長ラプラプは、西洋の侵略に抵抗した英雄として同島に銅像も建てられている(4)。

1521年マゼランのフィリピン到達の後、1565年スペイン初代総督となるレガスピーがセブ島を攻め植民地を建設し、さらにマニラを征服するなど、支配地域を拡げていった。これより300年に及ぶスペインの植民地支配が続く。スペインがフィリピンを欲した理由は、彼らの新大陸植民地メキシコの銀と中国の絹織物の太平洋をまたぐ貿易(ガレオン貿易)のために中継拠点地を必要としていたためである。またカソリックの布教も、もう一つの目的であった。このためにスペインは総督と大司教を頭に据えた中央集権的な政治と宗教の支配体制を敷いた。このようにして、この群島にはりめぐらされた植民地機構のネットワークが、この地域の歴史において初めて、フィリピン国家という「想像の共同体」を誕生させる苗床となる。

19世紀前半の植民地経営は自由貿易が主流となり、フィリピンからは砂糖、マニラ麻、タバコが輸出されるようになり、商業農園の地主や貿易商など新たな有産階級が生まれ、その貿易港としてマニラは栄えた[5]。複雑な貿易業務を進めるためには、スペイン人のみならず現地住民の人材が必要となった。そこで植民地政府は教育改革を進めて、初等教育から高等教育までの教育機関を設立した。高等教育機関で学ぶ若者たちは、マニラの新興有産階級の子弟であり、そのなかから欧州に留学する者も19世紀半ばに現れるようになった。

フィリピン独立の英雄ホセ・リサール

当時欧州に拡がった自由主義に感化された知識層の誇り高き若者たちから、「スペイン人と同等の権利を我々にも与えよ」と論じる者が現れてくる。ホセ・リサールがそうだ。

1861年マニラに隣接するラグナ州で、彼は生まれた。先祖には華人系移民もいるという。サトウキビ農園を経営する両親の次男として生まれ、イエズス会が経営する進歩的教育方針をとるアテネオ学校に進学し、さらにサント・トマス大学で医学を学び、医学の勉強を続けるために1882年スペインに留学する。

スペインでリサールは「フィリピン」という国の姿を見出した。84年新年の宴でホセは留学生仲間に対して、スペイン支配者に対する劣等意識を捨てて、「フィリピン人」であることの誇りを持とうと熱く語った。

この野蛮と呼ばれる国フィリピン。そして、見返りを求めることなく、人を温かく迎え入れる人々。貧困のなかでも、わずかな報酬すら与えられない民に救いの手を差しのべる国。繰り返して言う。野蛮で荒れ果てた国。しかし、平穏で、人々は尊重しあい、母は子を愛し、子は親を敬い、異邦人や弱者を大切にする国。

この祖国フィリピンが、私に、ここヨーロッパを旅する中で何を成したか、と尋ねるならば、私はこう答えるだろう。それはあなたの心の奥深くに隠れていると。(6)

国民意識の欠如を嘆くリサール

その後20世紀に誕生する新しい国「フィリピン」が、リサールやその留学生仲間たちのあいだで、スペインの圧政からの解放を求めて共に立ち上がる「同胞」の国としてイメージされるようになり、自らの内側に潜む存在として、ここに「発見」されたのである。スペイン人たちが被支配民を「無能で道徳的に堕落している」と見下すことに、彼らは怒りを感じた。劣等感を植え付けられ、服従を強いられているフィリピンの実態を描き出そうという目的から、リサールは1887年に小説を出版した。それが「ノリ・メ・タンヘレ」(我に触れるな)である。

同書は「愛国心に燃えるフィリピン人は誰もが君の本をどんなことをしても手に入れようとしている」[7]（留学仲間からリサールへの手紙）ほどの評判を呼んだ。しかし、同時に彼が小説のなかで鋭い批判を加えたスペイン植民地当局及びカソリック教会から目をつけられ、この後様々な迫害を加えられることになる。そうした闘いのなかで、リサールの意識は、スペイン人と同等の権利を主張する「同化」から、スペインからの独立を求める「分離」へと変化していく。

１８９０年に書かれた「フィリピン人の怠惰について」という論評のなかで、フィリピン人を「劣等民族」「野蛮人」と決め付けるスペイン支配者に対してフィリピン人が屈従している状況について、リサールはフィリピン人の道義心の低さを嘆き、その理由として教育の欠陥と国民感情の欠如を挙げている。[8] 国民感情が欠如しているがゆえの害悪とは、「人民に害を与えるような処置に対して、なにひとつ反対しない」ことであり、「フィリピン諸島の住民は、単なる個人であっても、国民の一員ではないのだ。かれは団結権をうばわれ、否定されている。だから弱く、無気力なのである」[9]とし、独立のためには被支配者が団結し、「フィリピン国民」であるという意識を強めていく必要があると指摘した。

一時は武力革命も辞さない考えをもっていたリサールだが、武力革命は無益な流血を招くだけと考えるようになった。１８９１年に出版された二番目の小説「エル・フィリブステリスモ」（反逆者）のなかで、暴力により独立を達成したとしても、そこから新たな暴力的支配が生まれるとして、最終章では「今日の奴隷が明日は暴君になるということなら、独立になんの価値があるでしょうか？　そして、そうなることは火をみるよりも明らかなことです[10]」と登場人物に言わせている。

武力革命派とたもとを分かって1892年にフィリピンに帰国したリサールであるが、彼を危険視する植民地当局に逮捕され、ミンダナオ島に流刑される。刑期を終えた彼は、軍医としてキューバへ旅立ったが、その時期に武装独立派が蜂起して、独立闘争が始まった。武装独立派とのつながりを疑われてリサールは地中海で逮捕され、マニラに送還された。マニラで軍法会議にかけられたリサールは無罪を主張したが、彼の声は聞き入れられることないまま、有罪判決を受け、1896年12月30日銃殺刑に処され、35歳の生涯を終えた。処刑前日に刑務所内で綴られた一篇の詩は、「フィリピン同胞」に向けた最後のメッセージである。

さようなら、愛する祖国、なつかしい太陽の血よ
東洋の真珠、今はなきわが楽園よ！
喜んで君に捧げよう、貧しく萎びたこの命を
いや、たとえ輝きにみち、いっそう清らかで
花咲くような私であったとしても、やはり君のためにこの命を捧げよう
君のしあわせのために、この身を捧げよう

（訳：安井祐一[11]）

「フィリピン人とは誰か」を問うミュージカル

フィリピンの住民がスペインに隷従する理由の一つとして、国民感情の欠如をリサールは指摘したのだが、自らの処刑に際しても、「命を捧げる価値のある祖国というものが確かに存在するのだ」と

いうメッセージを籠めたのである。その後、フィリピンの独立はどうなったか。

リサール処刑は、かえって独立闘争の火に油を注ぐ結果となり、スペイン植民地政府との戦闘が激化した。そして、米西戦争が始まり、米国の後ろ盾をえた武力革命派は1898年6月に独立を宣言し、議会設置や憲法起草を進め、99年1月に「フィリピン共和国」(第一共和国)が樹立された。しかし米西戦争に勝利してフィリピン支配権を獲得した米国は独立を認めず武力で抑え込み、共和国は崩壊して革命政権は短命に終わる。

米国の植民地支配は、日本軍がフィリピンに侵攻する1942年1月まで続いた。その間、米国は1934年に10年後に完全独立を与えることを約していた。一方、植民地解放を大義名分とした日本は、1943年にフィリピン独立を認め、ホセ・ラウレルを大統領とする傀儡政権(第二共和国)が作られた。しかし、フィリピンを戦場とする日本と米国の戦争で、100万人を超えるフィリピン人が命を落とすこととなった。

日本の敗戦後、すでに戦前に独立を約していた米国は、1946年にフィリピンを独立させた(第三共和国)。冷戦時代、米軍基地がおかれたフィリピンでは親米政権が続き、そのなかでフェルディナンド・マルコス大統領が独裁体制を作り、20年に及ぶ長期支配が続いた。

結局マルコス政権は民衆の不満を抑え込むことができず、1986年二月革命で打倒され、現在まで続く第四共和制が誕生した。独立を達成しても、すさまじい貧富の格差、権力者の腐敗・汚職などの植民地時代からの矛盾は、解決されることなく残されたままである。まさにリサールが懸念した「今日の奴隷が明日は暴君になるということなら、独立になんの価値があるでしょうか?」という状況が、20世紀末まで続いてきた。そうした状況のなかで、「独立とは何か」「フィリピン人とは誰か」という問いが、リサール再評価とともにフィリピン人の内面から湧きあがってくるようになる。こうして彼の小説「ノリ・メ・タンヘレ」「エル・フィリブステリスモ」は幾度となく映画、テレビ、オペラ、小説等の原作として取り上げられ、その製作された社会状況のなかで「フィリピン人とは誰か」という自問がくり返されるのである。

以下では、「エル・フィリブステリスモ」出版（1891年）、フィリピン革命勃発（1896年）の100周年を記念して創作されたミュージカルを題材に、フィリピン人自身の自画像の模索を見てみたい。

（インターネット検索サイトに「Maria Clara and Ibarra in Noli」と入力）

この動画は、国際交流基金がアジアセンター開設を記念する事業として招聘したフィリピン文化センター付属劇団「タンハーラン・ピリピーノ」によるミュージカル公演の記録である。リサールの大河小説「ノリ・メ・タンヘレ」を前編「愛別編」、「エル・フィリブステリスモ」を後編「反逆編」として舞台化した意欲的な取り組みで、日本・フィリピン文化交流の歴史に残る伝説的公演（1995年9月9日、東京）のクライマックス・シーンの一つである。

スペイン留学から帰国した、社会改革の理想に燃える青年クリソストモ・イバラ。彼の婚約者マリア・クララは、実はスペイン人神父がフィリピン女性を犯してもうけた子であったのだが、彼女はその事実を知らない。夢を語り幸せな青春の日々を送る二人だったが、マリアは植民地権力によって出生の秘密を知らされ苦悩する。他方イバラは無実の罪を着せられ逃亡し、二人の仲はひきさかれる。

これが前編「愛別編」のあらましである。

その13年後を描く後編「反逆編」では、イバラは宝石商シモウンと名を変え、テロにより社会を破壊し武力革命を引き起こそうと企てる。一方修道院に入ったマリアは病を得て、寂しく世を去る。蜂起に失敗し傷付いたシモウンは、フィリピン人のフロレンティーノ神父の腕のなかですべてを告白し息をひきとる……。

映像は「愛別編」の最終シーン。スペイン人神父の奸計により政府転覆罪の疑いをかけられたイバラがマリアに別れを告げに来るシーン。マリアは自分の出生の秘密を告白し、イバラに許しを請う。マリアへの変わらぬ愛を絶唱し、イバラは去っていく。

まず二人の主役、イバラ役のオーディ・ヘモラとマリア役のモニク・ウィルソンの歌唱力に圧倒される。この日本公演を担当した国際交流基金アジアセンター舞台芸術コーディネーター（当時）の畠由紀は、フィリピンはアジアでは珍しく西洋オペラが根付き、さらに英語ミュージカルが輸入されてミュージカル文化の花が開き、1991年に「ミス・サイゴン」でトニー賞主演女優賞を獲得したレア・サロンガなど多くのミュージカル俳優を世界に送り出していることを解説している。[12]ヘモラとウィルソンも、ミュージカルの本場ブロードウェイやロンドンで活躍する、国際的実力派ミュージカル俳優だ。フィリピンと芸能と聞くと、「フィリピン・パブ」や「フィリピン・カラオケ」といったイメージが付いてまわるが、実はこの国はアジア有数のミュージカル大国なのである。

解説のなかで畠はこのミュージカルがリサールの原作と違う点を幾つかあげているが、後半イバラ改めシモウンが政府を倒すという政治目的のために、民衆の犠牲を厭わぬ冷酷さをより鮮明に浮かび上がらせる演出を指摘している。[13]

この演出は、１００年前のリサールが夢みた国民国家の理想に照らして、独立後50年を経たフィリピンの国民統合のあり様を見つめ直すという問題意識を、このミュージカルを製作した側が抱いていたことを示している。「愛別編」の作詞を担当した、マグサイサイ賞受賞作家・詩人・劇作家のビエンヴェニド・ルンベラは、リサールが糾弾したのはスペイン植民地政府だけでなく、その体制での保身に走るフィリピン人支配層、無知で自分が支配されていることに気付かない下層階級も含まれるのであり、こうした問題意識は今日にも通じる問題であるとし、「社会をどう変えていくかということは、フィリピンがずっと直面してきた問題です。70年代以来の社会変化の中に身を置いた作家として、私はこの問題に無関心ではいられませんでした」[14]と語っており、このミュージカルが単なる建国神話を賛美する作品ではないことを表明している。

英語ではなくフィリピノ語で演じられていることにも重要な意味がある。劇団「タンハーラン・ピリピーノ」の演出家ノノン・パディーリャは、多言語国家フィリピンにおいてフィリピンの人々を結びつけているのはとにかく言語であり、フィリピン人の人々を豊かにし、その結果、帰属意識を与えるのはフィリピノ語であるとして、エリート層に英語尊重、フィリピノ語蔑視の風潮があるが、英語では国民を結びつけることはできないと述べている。[15]

リサールの二つの小説はスペイン語で書かれたが、フィリピン独立の父たちの精神を、スペイン語ではなくフィリピノ語でミュージカルを通じて学ぶという共通体験は、まさにフィリピン国民という「想像の共同体」がリサールの原像に上書きされていく過程そのものである。

映画を通したフィリピン自画像の再構築

現代フィリピンにおいて、若者文化を表現の場として、「フィリピン国家」「フィリピン社会」「フィリピン国民」とは何か、という問いかけが盛んに行われ、普遍的なメッセージ性を含んだ文化が創造されている。

国際交流基金マニラ日本文化センター所長の鈴木勉は、フィリピンという国は歴史が浅く伝統文化が貧しいというひけ目からくる「アイデンティティーに対するゆらぎの意識は、若い世代の人々のあいだに生まれながらにして背負わされた喪失感を形作り、この国全体を覆ってきた」[16]と指摘し、フィリピン最大のインディーズ映画祭「シネマラヤ」の歩みに、フィリピン人による自画像の再構築を見出している。

「自分探し」が現代フィリピン文化の重要テーマである理由として、鈴木は「横たわる自身喪失と自虐からの脱却」に加えて、犯罪、政治腐敗、貧富格差、民族紛争等の「醜悪な現実に対して、『わたしたちが本来あるべき姿』『失われた自己』を求めて敢えて目を覆わず、そして発言していく」ことを加えている。[17]

2018年東京国際映画祭で上映された「リスペクト」も、こうした社会告発映画の一つである。犯罪と貧困に囲まれながらヒップホップにのめり込んでいく主人公が、マルコス時代のトラウマを抱える老詩人と出会い心を通わせるようになるというストーリー。予告編の映像をみてみよう。[18]
（インターネット検索サイトに「Respeto: Official Full Trailer」と入力）

ラップ狂いの若者が主人公の映画と聞いて、明るい青春音楽劇と想像して軽い気持ちで映画館に足を運んだ筆者は、悪徳警官によって主人公が殺される衝撃のラストに言葉を失ってしまった。

シネマラヤ映画祭で7つの賞を受賞したこの作品を撮った監督は、ミュージックビデオ作りの第一人者トレブ・モンテラス2世である。彼は、ドゥテルテ政権下で起きている麻薬犯罪者に対する超法規的殺人という状況を見て「本作は単なるヒップホップカルチャーの映画にできないと思った。何らかの声をあげる必要がある」[19]と考えたという。

「明るくのびやかな南の国の人々」という「フィリピン人」イメージの先、彼らの内面にある暗い情念、奥深い心のひだを理解せずして、フィリピンは理解できない。映画は格好の材料を提供している。

注

(1) 井出穣治『フィリピン：急成長する若き「大国」』中公新書、2017年、41～45頁。
(2) 宮原暁「華僑・華人：中国にルーツを持つ」大野拓司他編『フィリピンを知るための64章』明石書店、2016年、56頁。
(3) 井出、前掲書、23～24頁。
(4) 岩崎育夫『入門東南アジア近現代史』講談社現代新書、2017年、59頁。
(5) 寺見元恵「ホセ・リサール：その時代と思想」『エル・フィリ　公演プログラム』国際交流基金アジアセンター準備室、1995年、4～7頁。
(6) カルロス・キリノ（駐文館訳）『暁よ紅に：わが血もて染めよ　フィリピン独立運動の悲運のヒーロー　ホセ・リサール』駐文館、1992年、85～86頁。

（7）同右、175頁。
（8）ホセ・リサール（岩崎玄訳）『反逆・暴力・革命：エル・フィリブステリスモ』井村文化事業社、1976年、372頁。
（9）同右、375頁。
（10）同右、295頁。
（11）ホセ・リサール（安井祐一訳）「別れの詩」前掲『エル・フィリ　公演プログラム』、24頁。
（12）畠由紀「作品解説」前掲『エル・フィリ　公演プログラム』、34頁。
（13）同右、36頁。
（14）ビエンヴェニド・ルンベラ「インタビュー」前掲『エル・フィリ　公演プログラム』、12頁。
（15）ノノン・パディーリャ「インタビュー」前掲『エル・フィリ　公演プログラム』、14頁。
（16）鈴木勉「フィリピン・インディペンデント映画の黄金時代：映画を通した自画像の再構築」（福岡まどか・福岡正太編）『東南アジアのポピュラーカルチャー：アイデンティティ・国家・グローバル化』スタイルノート、2018年、173頁。
（17）同右、174頁。
（18）*Respeto: Official Full Trailer*　https://www.youtube.com/watch?v=DOr0uU7mckA（2019年8月31日アクセス）
（19）トレブ・モンテラスⅡ「監督メッセージ」『CROSSCUT ASIA #05 ララララ！ 東南アジア 2018』国際交流基金アジアセンター、2018年、29頁。

5章 タイ

国民意識の根底にある仏教の寛容と非寛容

タイの概略

国土：51.4 万平方キロ。日本の 1.4 倍の規模。南北にチャオプラヤ川が流れ、広大なデルタを形成。古くからコメ作りが行われ、タイを世界一のコメ輸出国としている。北部は山岳地帯で中国の雲南とつながる。

人口：6891 万人。首都バンコックに 824 万人が住む。世界有数の過密都市である。

政治：東南アジアで唯一独立を守り通した立憲君主制国家。元首はワチラロンコン国王（2016 年 10 月即位）。戦後長く軍によるクーデター、独裁支配が続いたが、80 年代に軍による上からの民主化、90 年代の民主改革により軍は政治から離れ議会制民主主義が定着したかに見えた。しかし今世紀に入って、民主化の流れは逆行現象が目立つ。2000 年代タクシン首相支持派と反対派の対立が激化し、社会が不安定化するなかでプラユット陸軍司令官が 2013 年 5 月に戒厳令を布告。2014 年からの 5 年間は軍を中心とする国家平和秩序維持評議会が権力を掌握した。2019 年に新憲法に基づく選挙が行われ、プラユットを首相とする連立政党の新政権が発足し、5 年ぶりに民政化された。

経済：2018 年の名目 GDP 総額は 4872 億ドル。一人当たりの GDP は、7187 ドル。2015 年からは 3〜4％台の経済成長を続けている。

民族：85％がタイ系。華人系が 10％。北部に山岳少数民族、南部にマレー系が居住する。他にモーン、クメール、インド、ラオス系エスニック集団が存在する[(1)]。

言語：タイ語。山岳少数民族は独自の言語をもつ。

宗教：仏教 94％、イスラーム 5％。憲法に仏教を国教とする規定はなく、信教の自由は保障されている。ただし国王は「仏教徒であり宗教の最大の保護者」との規定がある。

タイ国民意識の礎となる仏教

東南アジアは地理的に大陸部東南アジアと島嶼部東南アジアに分類することができる。「陸のアジア」と「海のアジア」という呼称もある。前章まで扱ってきたインドネシア、シンガポール、マレーシア、フィリピンは島嶼部に属する国々であるが、ベトナム、カンボジア、ラオス、タイ、ミャンマーは大陸部の国々である。なかでもタイは大陸部の中心に位置し、大陸部を代表する国だ。大陸部と島嶼部という分類は地理のみならず、社会文化的にも特色がある。

島嶼部は海を通じて様々な民族が往来し、現在では主にイスラーム文化圏とキリスト教文化圏であるが、大陸部は仏教文化圏が主流である。大陸部はユーラシア大陸で古代から栄えたインド文明と中国文明両方の影響を受け、中国に近いベトナムは中国文明の影響色濃く、インド文明に近いミャンマーはインド文明の影響が強い。

タイ民族の起源については諸説あるが、中国南部起源が有力である。中国雲南省の深い山岳地帯に住んでいた人々が山を下り、インドシナ半島を流れる大河の肥沃なデルタ地帯に住みつき、インドから伝わった仏教の教えに感化され、仏教王国を建設した、という風にタイでは自国の歴史教育が行われている。

タイの国是とされるのが、「民族（チャート）・宗教（サッサナー）・国王（プラマハーガサット）」の三つを国の礎とする三原則（ラックタイ）である。ここで「宗教」とは国民の大多数が奉じる仏教を意味している。この国是は20世紀初め国王ラーマ6世が定式化し、軍中心の家父長的開発独裁体制を築いたサリット元帥・首相が国家建設の中心に据えた。固有の仏教文化・文明を築いてきたタイ民族を代表するのが国王であり、国王は仏教の第一の擁護者である。人民が仏教の教えに帰依し、神聖なる国王を深く敬うことが、タイ人としての国民意識を強め、タイ国家繁栄の基礎となるとサリットは考えたのである。[2] つまり為政者たるサリットにとって、タイ国民が仏教を深く敬うということは政治的な意味をもつことであり、彼が権力を維持していくためには不可欠の要素なのであった。[3]

現代タイ人の心の奥底にある仏教

20世紀後半、タイは経済開発計画を始めた60年代から90年代まで計画以上の経済成長が続き、特に80年代後半は10%以上の経済成長を達成し、[4]「東南アジアの優等生」と呼ばれた。この時期、日本企業は円高を背景にタイの工業に投資し、経済成長に貢献した。急速な経済成長により大きな社会変容を経験したが、依然として仏教はタイ国民の意識において大きな存在であり、その教えと戒律が都市、農村問わず、知識の多寡・階層を越えて日常生活の隅々まで影響力をもっている。タイの国民意識を考える時、避けては通れない。その一例を映像から感じてみよう。

タイ研究者の平松秀樹は、「報恩」「親孝行」がタイ社会における最高善と考えられていることを、映画やCMを用いて説明している。[5] 彼が紹介しているタイの携帯電話会社CMの映像を見てみよう。

（インターネット検索サイトに「True Move H: Giving」と入力）

下町の片隅で小さな食堂を切り盛りする店主の親父さんと少女の店先で騒動が起きる。病の母を救いたい一心から薬を盗んだ、みすぼらしい身なりの少年が捕まって仕置きされようとしていた。「ちょっと待った！」と分け入った店主は、事情を聞いて薬代を払い、野菜スープをもたせてやる。

無言で店主を見上げた少年は、駆け出して雑踏に消える。

それから30年。相変わらず食堂で忙しく働く店主と娘。店主の親父さんは今も貧しい人への施しを続けている。ある日、店で倒れた店主は病院に担ぎ込まれ、生死の境をさまよっている。一命をとりとめても高額の医療費を支払わなければならない。娘は自分たちの店を売りに出すことを決意する。店主のベッドの横で疲れ果てて寝入った娘が目を覚ますと、治療費明細がそっと置かれていた。

そこには「治療費　0バーツ。すべて30年前に支払い済み。3本の鎮痛剤と野菜スープによって」と書かれてあった。店主が助けた少年は、人の命を救い尊敬を集める医師になっていたのだ。最後に「与えることが最良のコミュニケーション」というテロップが映し出される。

世界が涙する感動のCMという触れ込みの通り、大学の講義でこの映像を流すと、多くの学生たちの涙腺は崩壊寸前だ。もう一つ、生命保険会社のCMを見てみよう。こちらはタイ版「雨ニモマケズ、風ニモマケズ」である。


（インターネット検索サイトに「お金ではかえないもの～タイのCM（日本語字幕版）」と入力）


都会で働く一人の独身青年。彼は通りすがりの困っている人を見かけたら親切にせずにはいられない。重い屋台をひくおばさんを手伝い、一人暮らしの老婆にバナナを届け、物乞いの母娘に施しをする。野良犬にさえ、自分の朝食を分けてやる。あまりのお人よしぶりに「毎日こんなことをしてなんの見返りがあるのだろう」というテロップとともに、あきれ顔で首を横に振るおじさんの表情が流れる。

いつものように野良犬とともに仕事に急ぐ青年の先に物乞いする母がいて、気付くと彼女の横にいるはずの少女の姿が見えない。なにかあったのか、と表情が曇る青年。そうすると呼びかける声がして、小学校の制服を着た少女が彼の前に立っていた。少女は教育を受けることができたようだ。あどけない少女の微笑みに、青年も微笑みを返す。毎日見返りを求めることなく善行に励み、裕福でもなく、有名でもない青年は、お金では買えない、それ以上のものを手に入れているのだ。映像は最後に視聴者に問いかける。「あなたの暮らしはどうですか?」「あなたが一番望むものはなんですか?」

宮沢賢治は熱心な法華経信者で、衆生を救うために地の底から湧いてくる菩薩のように生きたいと祈りを込めて「雨ニモマケズ」の詩を書いたのだが、ここまで紹介した通り、タイのテレビで流れる秀作CMのメッセージにも、仏教の教えに裏打ちされたものが少なくない。いかに仏教が現代タイ人の精神に深い影響を及ぼしているか、うかがい知ることができる。

タイ仏教についての基礎知識

タイ国民の大多数が仏教徒、と聞くと「同じ仏教徒の国」と考えてタイに親しみを覚える日本人が多いが、仏教といってもタイと日本ではかなり違いがある。キリスト教にカソリックとプロテスタントの違いがあるように、仏教内部にも多様性がある。「大乗仏教」「上座部仏教」という分類があり、日本の仏教は大乗仏教に分類されるが、上座部仏教は、スリランカから海路を通じて東南アジアに伝播し、ミャンマー、タイ、カンボジア、ラオスに根付いている。上座部とはパーリ語「テーラヴァーダ」(長老たちの説)の訳で、タイ仏教研究の第一人者であった石井米雄は「教団の長老たちによって継承されてきた仏教の正統的教説[6]」と解説している。

大乗仏教、上座部仏教の違いは、ブッダ入滅100年後に起きた仏教教団の分裂「根本分裂」に由来する。教団内の厳しい戒律を守り、修行に集中した個人が悟りを啓くことに重きを置く一派「上座部」と、時代の変化に対応しつつ個人だけでなく大衆の救済をめざす一派「大衆部」に分裂したのである。前者が上座部仏教、後者が大乗仏教となった。上座部仏教はブッダの戒律を正しく継承する者が正統と考えるがゆえに保守的で、厳しい修行に耐えられる者のみ悟りを啓くことができると考えるがゆえにエリート主義的な性格を有する。

日本では上座部仏教を「小乗仏教」と長く称してきた。しかし、これは大乗仏教の側が「自分たちの方がより大局的な見地から悟りを得た優れた教えで、上座部仏教は小さく卑しい教え」という考えを込めた蔑称であるので、偏見を避けるために「小乗仏教」という呼称は使わない方がいいと、石井は戒めている(7)。近年ではブッダ自身が語った言葉がより保存されているとみなされる古代インド言語経典への注目から、上座部仏教を再評価する動きが世界的に高まっている。

石井はタイ仏教には二重構造が存在すると指摘し、出家者中心の保守的仏教が国教に準じる地位を与えられ繁栄を謳歌する状況の分析とともに、出家していない9割以上の在家仏教信者の民衆仏教への目配りの必要性を説いた(8)。

本来、厳しい修行を求めるエリート主義的な匂いのする上座部仏教がタイの民衆にとって身近な存在である理由は、タイでは男性は皆、一度は出家すべきであると考えられており、一時出家が社会に定着しているからである。成人男性はタイ社会では僧侶を経験して初めて一人前とみなされ、タイで雨季に入る7月から10月半ばまでの「雨安居（うあんご）」を僧侶として修行し、「雨安居明け」に還俗するのである。[9]

石井はこの一時出家者を含めると、タイ男子の66人に1人が僧侶という統計を示し、タイ仏教の隆盛ぶりを伝えているが、男性が出家する動機は、タイ社会の変化を反映するものだ。昔ながらの「一人前になるための通過儀礼」「親孝行」「善行を通じて善き仏教徒になること」「過去の罪悪を洗い流す」といった理由に加えて、忙しい現代社会のなかで改めて自分の生き方を見つめ直す「自分探し」も重要な動機となっている。また貧しい家庭に生まれた男子にとって、出家は寺院で教育を受ける貴重な機会でもあり、出世という世俗的な動機から出家する人もいる。

出家者ではなく、普通の在家仏教信者はどのような仏教観を持っているのだろうか。石井は、タイ民衆の基本仏教思想を以下の6点にまとめている。[10]

① 因果応報。善行をなして善果を得、悪行をなして悪果を獲る。
② 人間はすべて善行と悪行とのバランスシートをもっている。善行をなして得られた功徳（ブン）は死後も残る。ブンを生み出す行為をタンブンと呼ぶ。
③ 輪廻転生。人は死後も生まれ変わる。とどまることはない。功徳を積めば、死後幸福な状態に生まれ変わるし、存命中の人生さえも良い方向に変えることができる。
④ バランスシートが赤の者、すなわち悪行の量が善行の量を上回っている者は地獄に落ちる。
⑤ 出家がブンを得るための最良の手段である。寺院を建立することは最高のタンブン。
⑥ タンブンは本人のみならず、亡くなった両親の死後の世界にも影響を与える。

人間は自らの意思によって功徳を積み、善果を得ることができるということは、運命は定まったものでなく、自らの心がけ次第で幸福を手に入れることができる。石井は「タイの民衆にとって、原罪の意識も、苦の意識もない。（中略）彼らの関心事は、現状からの向上、より大きな幸福をめざしての飛翔であると言ってよい[11]」と記した。タイの人々がもつ生きることへのたくましさ、明るさは、こうした宗教意識が根源にあるからかもしれない。

仏教タブーを描き始めたタイ映画

以上述べてきたように、タイの国民意識の基層に仏教が存在していることから、庶民の娯楽である映画においても、仏教と関係する作品は多く、僧侶を主人公とするものも多い。「坊さんもの」というジャンルも存在する[12]。

タイがホラー映画大国であることを語った四方田犬彦は、タイ怪奇映画活性化の契機となった映画として『ナンナーク』（1999）を真っ先に取り上げている[13]。この映画において、村に凶事をなす、産褥死（さんじょくし）した妻の悪霊を鎮めるのは、戦場の勇者であった夫ではなく徳の高い大僧正である。タイのホラー映画では幽霊やモンスターの祟りに直面した時に助けを求める相手は僧侶であり、お坊さん抜きには成立しないといってよい。ホラー映画とはいえ安っぽい作りではなく、国際レベルの映像と編集技術によって作られた『ナンナーク』は、近代直前のタイの伝統的な農村をノスタルジックかつ異国情緒たっぷりと描いている。『ナンナーク』の予告編映像が、インターネットに流れている[14]。

（インターネット検索サイトに「Nang Nak Trailer」と入力）

昔から伝わる幽霊伝説をもとに作られたこの映画が、1997年アジア通貨危機により大打撃を受け自信喪失状態にあるタイ国民に対する、ノンスィー・ニミブット監督からの「ディスカバー・タイ文化」「ディスカバー・伝統国民文化」のメッセージを込めた作品であることを、四方田は指摘している[15]。

タイ国民にとって身近な存在である僧侶は、怪奇映画以外にも人情劇、アクション、コメディーと様々なジャンルに登場するが、僧侶は敬うべき存在と考えられているタイ社会において、ネガティブな存在として描くことはタブーであり、検閲の対象となりかねなかった。しかし成人男子の誰もが出家するタイ社会において、寺院だけが社会から切り離された存在であることは不可能であり、清らかに描かれる僧院の内側には戒律破りが起きていることをタイ国民もうすうす気づいていた。教育を受け批判精神をもった中間層が拡大するに連れて、タイ映画の僧侶を視る視線も変わってきた。これまでのように「見て見ぬふり」はできず、僧院の実態を描く作品も出てきたのである。

２０１５年に公開され、社会的議論をまきおこした『アーバット』(破戒)が、そういう映画の一つである。この映画では文字通り、出家し修行中の身分にもかかわらず、酒を飲む、喧嘩をする、仏像に罰当たりな行為をし、女性の身体を触る破戒僧が登場する。仏教に対する不敬にあたるということで、検閲に引っ掛かりフィルムの一部カットと題名変更で上映許可になったといういわく付きの作品である。僧侶との禁断の恋に落ちて寺にとりついてしまう幽霊が登場してホラー映画の趣も加味されているところは、製作者の観客に対するサービス精神だろうか。

タイ映画と検閲という話題で触れておくべきは、米国発のミュージカル・映画『王様と私』だろう。米国の作家マーガレット・ランドンが19世紀シャム王宮に家庭教師として招かれた英国女性の自伝をもとに小説を書き、これがミュージカル化、さらに1956年にユル・ブリンナーとデボラ・カー主演で映画化され、世界的に大ヒットした。ミュージカルも大当たりし、日本でも帝国劇場で六代目市川染五郎（現・松本白鸚）と越路吹雪を主演として上演され、その後も何度も人気俳優を主演に迎えて上演されている。最近では渡辺謙がブロードウェイで王様役を演じて話題となった。日本や米国においてタイ・イメージ形成に大きな影響を及ぼした作品である。

ところがタイではこの映画は上映禁止になっている。実は映画やミュージカルにおいて粗野で滑稽な王と描かれているラーマ4世（モンクット王）は西洋列強による植民地化の危機のなか、タイの近代化を進めた賢君として知られる王様なのだ。石井米雄は、『もうひとつの「王様」と私』の題名でラーマ4世の生涯を描き[16]、いかに日本のタイをみる眼差しがオリエンタリズムに左右されて歪んだものになっているかを示した。

また米国の研究者クリスティナ・クラインは、1956年製作のミュージカル映画『王様と私』には、「西洋と東洋の相互理解は可能」であると同時に「遅れた東洋を指導するのは西洋の役割」という東南アジアで冷戦を戦う米国の使命を米国国民に教化するというメッセージがあったと指摘し、これを「冷戦オリエンタリズム」と呼んでいる[17]。

タイ社会の分断と仏教

欧米では、仏教は非暴力の宗教と理解されており、また大多数が仏教徒であるタイ国民も仏教を平和な教えと信じて疑わない。

チュラロンコン大学のスワンナ・サタ・アナンド教授は、タイ仏教がこれまで平和の宗教と理解されてきたことの根拠となる三つの歴史的要因を挙げている[18]。まずブッダ自身が非暴力を志向したこと。シャカ族の王子であったブッダは、王位を継承すると必然的に権力者として暴力をふるわなければならなくなると考え、すべてを捨てて出家した。第二に古代インドで巨大な王国を建設したアショカ王は前半生、戦争に明け暮れ膨大な血を流して王国を建設したが、仏教に帰依した後は慈悲深い王となり、彼が治めたインドは他宗教へ寛容で平和な王国として栄えた。第三にタイ仏教は国難が迫った時、暴力性を見せることもあったが、基本的には非暴力志向の宗教としてタイ社会に根付いてきた。たとえば16世紀ビルマとの戦争に勝利したナレースワン大王が敵に寝返った将軍にどのような刑を加えるべきか問うたところ、大僧正は寛大な措置を進言し、将軍たちは命拾いした。

しかし「タイ仏教＝非暴力」というイメージが揺らぎ始めている。近年研究テーマとして注目を集めているのが、「タイ仏教が冷戦からどのような影響を受けたか」という問いである。確かにタイ仏教は冷戦時代、国際政治の影響で政治との関わりを深めていた。米国人タイ研究者ユージン・フォードの『冷戦僧』は、反共を説くタイ仏教僧の背後に米国ＣＩＡの資金が流れ込んでいたことを明らかにしている[19]。

「タイ仏教＝非暴力」の揺らぎは、現在進んでいるタイ社会の変容に伴って生じた社会の亀裂、分断現象と関わるものでもある。サリットの開発独裁体制以来、成長を始めたタイ経済は総じて安定的に高い成長率を維持し、その結果、タイは農業国から工業国へ、貧困国から中所得国へと変身を遂げた。バンコックなど大都会には膨大な中間層が形成され、彼らの暮らしぶりは先進国のそれと変わらない。グローバリゼーションの時代、学歴が高く、情報メディアを使いこなす中間層の若者は世界とつながり、最先端の流行に敏感だ。その一方で、農村部において経済成長の果実を享受できない、取り残された人々も生まれ、経済の不平等（地域格差でもある）、環境の悪化、伝統的な共同体の衰退等の問題を顕在化させた。農村部住民と都市部中間層の社会的亀裂は、政治においてはタクシン元首相を支持する勢力と反タクシン勢力の衝突につながり、民主主義政治が機能不全状態に陥るなか、2006年と2014年の軍のクーデターを招いた。

こうした社会の分断化が進むなかで、従来の国民統合の要であった国王と仏教が社会をつなぐ役割を果たせなくなっている。先王ラーマ9世（プミポン国王）は1992年の民主化をめぐる騒乱の際、軍人首相と民主化リーダーを自身の前に跪（ひざまず）かせて双方の自制を促し、混乱を収束させた。しかし、国民の尊敬を集め、抜群のバランス感覚と判断力をもっていたプミポン国王も次第に老い、2012年以降は公務の数も減らし国民の前に姿を見せることが少なくなっていた。プミポン国王は2016年に崩御し、現国王が即位したが、2020年8月から活発化したデモでは、国王に対する批判が公然と行われている。

タイが抱える国民統合の危機の一つは、タイ深南部の紛争である。仏教が国教に準じる地位にあるこの国において、南部三州はイスラーム教徒が多数派の特殊な状況にある。マレー半島を植民地化した英国とタイが結んだ1909年の泰英条約によってタイに組み込まれた南部三州は、自治や分離をバンコックの中央政府に求めてきたが、タイ人移住政策やタイ資本の開発がイスラーム系住民の反発を招き、摩擦が高まっていった。特に2004年にタクシン首相が南部三州への警察による強硬な取り締まりを行い、100人以上の犠牲者を出したことから対立は激化した。

従来、イスラーム教徒と仏教徒は平和裏に共存してきたのだが、政治的対立が激化するなかで次第に仏教徒対イスラーム教徒の「宗教紛争」という図式が人々の心の中を占めるようになってきた。2004年1月に武器をもったイスラーム教徒が南部タイにある仏教僧院を襲撃し、僧侶が殺害される事件が発生した。この事件は、イスラーム過激勢力による仏教攻撃と受けとめられ、「仏教の危機」が叫ばれた。志願仏教僧が南部三州に送り込まれ、仏教僧が暴力連鎖の先頭に立つこととなった。以来、イスラームに関する非寛容、愛国感情を高揚させた仏教ナショナリズムがタイ仏教のなかで台頭してくる。

仏教僧殺害事件の真相は、麻薬取引をめぐる地元マフィアと寺側のトラブル、すなわち貧困の問題、地方政治の問題が原因だったのだが、警察権力、政治家、メディアというフィルターを通して、宗教紛争にすり替わってしまったのである[20]。

タイ映画の「坊さんもの」ジャンルにも、南部タイ紛争の影が忍び寄ってくる。2003年製作の『OK　バイトン』は姉をイスラーム過激派のテロで失った若い仏教僧が彼女の遺児である姪の面倒を見るために南部タイの街で美容院を営むというストーリーだ。

2018年の『ザ・ストーリー』は南部タイのパタニで暮らすイスラーム教徒の少女が主人公である。家族は貧しく、彼女の母はマレーシアに働きに出ていて、彼女は祖父母に育てられた。彼女を取り巻く治安は日ましに悪化し、ある朝爆弾テロに出くわし、傷付いた男の子を病院に担ぎ込む。その後、奨学金を得ることができた彼女は大学で医学を学ぶことになる。大学には仏教徒もイスラーム教徒もいて、彼らは「宗教紛争」の対立感情を乗り越えて友情を育てていく。字幕はないが、動画をインターネットで見ることができる。

タイ仏教には、政治権力、ナショナリズムと結びつき、暴力を使嗾する道具として悪用される面がある一方で、社会の分断を修復し人々の結びつきを強める社会資本の役割を果たしている側面もある。１９９３年に逝去したプッタアート比丘は「上からの開発」「経済至上主義」を批判し、仏教思想に基づく共同体の再編を唱え、後に続く開発僧と呼ばれる人々に大きな影響を及ぼした。今日の言葉で言えば持続可能な内発的発展を仏教用語で開発と呼ぶ。経済学者の西川潤・野田真理は開発僧を「仏教に基づく開発の思想的・実践的担い手として、物心両面の開発に取り組み、社会や人々を目覚めへと導く一方、農村や都市において貧困、環境破壊、エイズ等のさまざまな「苦」に立ち向かい、共生社会づくりをめざすキーパーソン・社会企業家[21]」と定義している。

民衆とともに生きる「開発僧」は、映画にも登場し、たとえばお坊さんが主人公のドタバタ喜劇として人気を博した『聖者（The Holy man）』の第二作では、ラッパーあがりのお坊さんが開発僧として、村の乱開発を進める悪徳採石業者と対決する。仏教徒がキリスト教徒やイスラーム教徒と団結することを説くラッパー坊主の姿から、タイの仏教社会に存在する異教徒への不寛容や開発をめぐる亀裂とこれを乗り越えようという模索が透けてみえる。

仏教ナショナリズムと開発思想、タイ社会の分断が深まるなかで、国民意識の礎となってきた仏教も、その内部で異なる価値観がせめぎ合っている。

注

（1）タイ政府観光庁ウェブサイト、「タイ王国の概要」https://www.thailandtravel.or.jp/about/outline/（２０１９年8月31日アクセス）

（2）末廣昭『タイ　開発と民主主義』岩波新書、１９９３年、28頁。

（3）石井米雄『上座部仏教の政治社会学』創文社、１９７５年、２９６頁。

（4）末廣、前掲書、１２３頁。

（5）平松秀樹「タイ映画・テレビドラマ・ＣＭ・ＭＶにみる報恩の規範：美徳か抑圧か、『親孝行』という名のもとに」（福岡まどか・福岡正太編）『東南アジアのポピュラーカルチャー：アイデンティティ・国家・グローバル化』スタイルノート、２０１８年、60頁、67～68頁。

（6）石井、前掲『上座部仏教の政治社会学』、３頁。

（7）石井米雄『タイ仏教入門』めこん、１９９１年、２頁

（8）同右、29～30頁。

（9）石井米雄監修、ＮＨＫ「ブッダ」プロジェクト編『ＮＨＫスペシャル　ブッダ大いなる旅路２　篤き信仰の風景　南伝仏教』日本放送出版協会、１９９８年、１１６頁。

（10）石井、前掲『タイ仏教入門』、１０８～１１０頁。

（11）同右、１１６頁。

（12）ThaiWorldView.com, *Theme of Buddhism Thai movies*, https://www.thaiworldview.com/tv/tv19.php. 同サイトに「坊さんもの」映画の主要作が紹介されている。本章執筆でもこれを参照した。

（13）四方田犬彦『怪奇映画天国アジア』白水社、２００９年、１５１～１５７頁。

（14）Nang Nak Trailer, https://www.youtube.com/watch?v=tREjNCHsk18,（２０１９年9月17日アクセス）

（15）同右、１５９頁。

（16）石井米雄『もうひとつの「王様と私」』めこん、２０１５年。

（17）Christina Klein, *Cold War Orientalism: Asia in the Middlebrow Imagination, 1945-1961*, (Berkeley, University of California Press, 2003), pp.191-222.

(18) Suwanna Satha-Anand, "The Question of Violence in Thai Buddhism," in *Buddhism and Violence: Militarism and Buddhism in Modern Asia*, ed. Vladimir Tikhonov and Torkel Brekke (Routledge, New York and London, 2013), pp. 175-176.

(19) Eugene Ford, *Cold War Monks: Buddhism and America's Secret Strategy in Southeast Asia*, (New Haven and London, Yale University Press, 2003)

(20) Michael Jerryson, "A Path to Militant Buddhism: Thai Bhuddist Monks as Representations," in Tikhonov & Brekke ed., op. cit., 75-89.

(21) 西川潤・野田真理「豊かさを問い直す共生社会の展望：開発（かいはつ）から開発（かいほつ）へのパラダイム転換」（西川潤・野田真理編）『仏教・開発・ＮＧＯ：タイ開発僧に学ぶ共生の知恵』新評論、２００１年、25頁。

6章 インド

「悠久のインド」を語ることの意味

インドの概略

国土：328万平方キロ。世界7位。気候は北のヒマラヤ高山気候から南部の熱帯気候まで多様。

人口：12億人（2011年国勢調査)。2030年頃までに中国を抜き、世界最大の人口大国となるものと予想される。

政治：連邦共和制。元首は大統領、政治の実権は首相が握る。

経済：2018年の名目GDP総額は2兆7263億ドル（世界7位)。一人当たりのGDPは、2015ドル。2018年度の経済成長率6.8%。独立以来続けてきた社会主義的計画経済体制が行き詰まり、90年代以降政府の規制を緩める市場経済メカニズムを強化する政策転換を行った。以来、IT産業を中心とするサービス産業が発展し、近年では中国を上回り、G20諸国のなかでも最も高い経済成長を達成し、世界の注目を集めている。高い経済成長に伴い中間層人口は2025年までに5.8億人（国民の41%）まで拡大するという予測もある[(1)]。他方、世界銀行によれば経済成長から取り残される貧困層も1億7000万人以上（国民の13%相当）という膨大な数が存在する。この数は世界の貧困層の4分の1を占める[(2)]。

民族：インド・アーリア系、ドラビダ系、オーストロアジア系、シナ・チベット系の4つに大別される。インド・アーリア系が北部を中心に広く分布し、南部にドラビダ系が居住する。オーストロアジア系、シナ・チベット系は少数。

言語：連邦公用語はヒンディー語、英語は準公用語。憲法で公認される州言語は21言語。そのほか数え方によるが、数百の言語が存在すると言われている。

宗教：ヒンドゥー教79.8%、イスラーム14.2%、キリスト教2.3%、シク教1.7%、仏教0.7%、ジャイナ教0.4%。(2011年国勢調査)

インドの巨大さと多様性

インドという国の国民意識を考える時、欧州と比較対照してみると、その巨大さと巨大さゆえの複雑さが理解できよう。インドの国土は、ロシアと北欧を除いた欧州大陸に匹敵する大きさである。国民人口はＥＵ諸国人口総計の2・6倍である。そして、ＥＵの公用語数24に近い数の公用語がインド憲法で認定されている。欧州がゲルマン系など北欧民族と、ラテン系など南欧民族に大別されるように、インドの民族も言語によってインド・アーリア語系の北インドとドラビダ語系の南インドに分けられ、両者の文化的差異は大きく、対抗意識も強い。つまり様々な言語、文化が存在する欧州並みの多様性をもった人々が、その倍以上の規模で、一つの国を形成しているということなのである。

同じキリスト教文明を共有するにもかかわらず、欧州諸国間での対立・紛争が絶えず、最近英国離脱でＥＵが揺れたように、インドも古代から続く一つの文明圏が存在してきたとはいえ、大小様々な国が興亡を繰り返し、現在の枠組みの国民国家が存在するのは英国植民地支配から独立した１９４７年以降の70年あまりに過ぎない。言語、宗教、カースト制度、階層等々様々なアイデンティティーの源が混在し交錯するインドにおいて、「我々は同じインド人」という帰属意識を実感するのは、内部にあってはなかなか難しい。英国はこうしたインド世界の特性に目をつけて「分割して統治せよ」という鉄則に基づいて植民地経営を行った。

こうした点から、インドの国民意識がいかに微妙なバランスの上に成立しており、「一つのインド」という国民意識を形成するのがどれほど困難なことであるかを理解しておく必要があるだろう。

国民国家としてのインドは、今も形成途上にあると言ってよい。「インド」という言葉を聞いて、

「悠久の歴史」「仏教のふるさと」という「古代から変わらぬインド」というイメージを想起しがちだが、インドという国は実は今もダイナミックに変化を遂げつつあり、その国民意識も同様に現在進行形で変わり続けている。

インドの宗教をめぐって

ここまでの章同様に、インドの自尊心、誇りは何か探るため、海外旅行者向けインド観光キャンペーン「驚異のインド（Incredible India）」の映像をみてみよう。

夜明けとともに映し出されるのは、インドの大自然と様々な歴史文化遺産。沐浴する老人の祈りの姿。文化遺産を背景に群舞する男女。ヒンドゥー教や仏教の寺院、イスラームのモスクに集まる群衆。ロケット、戦闘機、空母と最新鋭の兵器も登場するが、全体を流れるのは、インドには奥深い精神世界が存在し、様々な宗教が共存するというトーンである。シンガポールやマレーシアの観光キャンペーンと比較して、宗教の占める割合が大きい。「西洋物質文明のなかで自己を見失った人々よ、インドの精神世界に触れて自己を見つめ直せ」といった強いメッセージが、観光キャンペーンから感じられる。

インド政府がインドの魅力と自負する宗教について概観しておこう。確かにインドは世界有数の多宗教国家である。国民の8割が、インドの民族宗教ヒンドゥー教の信徒であるが、ヒンドゥー教は国教とはされておらず、インド憲法は信教の自由を認め、すべての宗教に対して国家が中立性を保つ世俗主義を国家原則として定めている。

インド独立の際、長年独立運動を指導してきたマハトマ・ガンディーは、英国植民地インドが宗教によって分断されることなく「一つのインド」として独立することを希望していた。しかし、ガンディーと政治的ライバル関係にあったムスリム連盟のジンナーは、独立後の新国家においてイスラーム教徒が少数派として不利益を被ることを恐れ、イスラーム教徒住民が多い地域をインドから切り離し、パキスタンとして独立することを強く主張した。結局英国植民地インドからインド、パキスタンという二つの国家が分離独立する。[3] この時、インド領内のイスラーム教徒がパキスタンへ、パキスタン領内のヒンドゥー教徒がインドへ流入し、一千万人以上の人の移動は大混乱となり、両教徒のあいだで暴動、虐殺がくりかえされた。このマイナスの記憶が、今日まで続くインド・パキスタンの敵対感情を生み、元々「同胞」であった人々が何度も戦争をするという新たな悲劇をもたらしている。

「分離独立」を経てもインドには国民14％にあたるイスラーム教徒がおり、イスラーム教徒の方がヒンドゥー教徒より出生率が高いため、国民人口に占めるイスラーム教徒比率は徐々に高くなっている。1.7億のイスラーム人口はインドネシア、パキスタンに次いで世界3位である。インドはヒンドゥー大国であると同時にイスラーム大国でもあるのだ。キリスト教はポルトガルの植民地であったゴアなどにおいてイエズス会を中心に布教が行われ、2.3％でインド第三の宗教である。現在のインドでは、インド生まれのシク教や仏教よりも、イスラームやキリスト教の方が信者の数が大きい。

ターバンと立派な髭といった典型的なインドのイメージを想起させるのがシク教で、16世紀グル・ナーナクが始めた比較的新しい宗教である。パンジャブ州のアムリトサルに総本山の黄金寺院がある。

仏教は古代インドで隆盛を誇ったが、ヒンドゥー教が勢いを増すにつれヒンドゥー教のなかに溶解し、北インドへのイスラーム勢力侵入が決定打となって、ヒマラヤ地方を除きインドから姿を消していた。ヒマラヤ地方ではチベット仏教が根付いている。20世紀に入り、ヒンドゥー教のカースト差別に反対する原理として、仏教が注目され、被差別カーストが仏教徒に改宗する動きが生まれ、仏教は復活した。

19世紀に形成されたヒンドゥー・アイデンティティー

大多数のインド国民が信じるヒンドゥー教であるが、日本人にとってはなじみが薄い。しかし日本に伝わった仏教のなかには、帝釈天、不動明王、大黒天などヒンドゥー教の原型であるバラモン教の神が含まれている。またヒンドゥー教と同じ民族宗教である神道からも類推してみるのも、ヒンドゥー教を理解する一つの方法といえる。ヒンドゥー教は、広大なインドで発生した様々な信仰、それから生まれる文化、生活様式の総称なのである。カースト制度や生活文化を規定する世俗的な掟もふくまれ宗教と文化が混然一体となっていて、両者のあいだに境界線をひくのは難しい。

八百万(やおよろず)の神が存在する神道と同様に、ヒンドゥー教にはおびただしい神々が存在する。神々のあいだにも上下関係があり、ヴィシュヌ、シヴァ、ブラフマーが神々の中核的存在である。ブラフマーは宇宙創造の神、ヴィシュヌは宇宙の秩序維持をつかさどる神、シヴァは宇宙の破壊と再生の神であるが、実は三つの神は単一の神聖な存在であるというトリムールティという神学が存在する。ヴィシュヌ神は化身する神で、インドで人気の高いラーマ神やクリシュナ神はヴィシュヌ神が化身した存在であり、仏教の開祖ブッダもヴィシュヌ神の化身と考えられている。それゆえに仏教はヒンドゥー教の一部と位置づけられる。

ところで、「ヒンドゥー教徒」という概念は自称ではなく他称であることを指摘しておきたい。「ヒンドゥー」は、12世紀以来インドを支配したイスラーム権力者や英国植民地支配者が用いた用語である。そもそも「ヒンドゥー」「インド」は同じ語源で、ギリシア・ローマ、ペルシア、アラブ人が、インダス河の東側の土地、人々を指して使っていた。

19世紀、インドに存在する多様な信仰を、インド亜大陸の複雑な民族構成、宗教構成に不慣れな英国の植民地行政官は人口統計をとるに際して、イスラーム教徒、シク教徒、ジャイナ教徒以外の人々をまとめてヒンドゥー教徒と呼んだ。それ以前にインド亜大陸に生きる人々は、ラーマ神を祀り、ドゥルガ女神に供物を捧げていても「自分はヒンドゥー教徒」というアイデンティティーは持ち合わせていなかった。

ヒンドゥー教徒という自己認識が強化されるのは西洋から国民国家、ナショナリズムの概念がインドに輸入され、宗教が民族概念、国家概念と結びつけられるようになって以降のことなのである[4]。このあたりは、近代の幕開けの時期、国家によって上から神仏分離、廃仏毀釈という国民感情を噴出させられ、さらに国家神道が整備されていった日本の近代史とある種の共通性がある。

ヒンドゥー・ナショナリズムとは何か

第二次世界大戦後に独立したアジアの国の多くが独裁やクーデターを経験してきたなかで、インドはまがりなりにも選挙で国民の代表を選ぶ民主主義を維持してきた。「世界最大の民主主義」はインド人の誇りとするところである。独立以来長期政権を維持してきた国民会議派が衰退し、90年代以降台頭してきたのがインド人民党（ＢＪＰ）である。同党は、「ヒンドゥー・ナショナリズム政党」「ヒンドゥー至上主義政党」と呼ばれる。独立以来、世俗主義を国是とするインドにおいて、ヒンドゥー・ナショナリストは宗教対立を扇動する輩と異端視され、政治的な力をもっていなかった。マハトマ・ガンディー暗殺犯がヒンドゥー・ナショナリストだったことも危険視される一因である。

しかし１９８９年選挙で大躍進した同党は96年選挙において国民会議派を抜いて第一党に躍進し、98年選挙でついに本格政権を樹立するに至る。彼らは政権をとった直後に核実験を強行して世界を驚かせ、カシミール・カーギル地区でのパキスタンとの軍事衝突などヒンドゥー・ナショナリズム色の強い外交・軍事政策を展開した。一度国民会議派に敗れ下野した後、２０１４年総選挙で大勝しグジャラート州首相であったナレンドラ・モディが連邦政府首相に就任し、２０１９年総選挙にも勝利してモディ政権が続いている。

ヒンドゥー・ナショナリズムの主張を要約すると以下のようになる。

インドは古代からヒンドゥー教に基づく文明が栄えたが、中世以来外敵によってその栄光は貶められてきた。イスラーム帝国、大英帝国の支配である。英国の植民地支配をはねのけ、インド独立をめざすナショナリズムが興ったが、その足を引っ張ったのがイスラーム教徒である。彼らのために、インド・パキスタン分離独立という不本意な形でインドは独立せざるを得なかった。インド独立の父マハトマ・ガンディーはイスラーム教徒に妥協しすぎて、国益を損なった。イスラーム教徒の国パキスタンは今もカシミールに傭兵を送ってインドの尊厳をおびやかしている。インド国内のイスラーム教徒はパキスタンと通じている。イスラーム教徒は腐敗した国民会議派政権に取り入り、優遇措置を受けており、大多数のヒンドゥー教徒は本来享受すべき権利を侵害されている。今こそヒンドゥー教徒の国インドを取り戻すために、立ちあがるべき時だ。

インド人民党が勢力を伸ばした90年代は、政府が経済政策を市場メカニズム重視政策に転換し、経済成長が始まり、都市部で中間層が拡大していった時期である。こうした都市部中間層の若者のあいだでインド人民党への支持が広がっていった。インドの外交官パヴァン・ヴァルマはインドの中間層を論じた著作のなかで、都市部中間層のあいだでヒンドゥー・ナショナリズム感情が高まる理由を次のように挙げている[5]。

第一に伝統的な大家族制度が都市部において弱体化するなかで、失われる集団帰属意識の代替として宗教への関心が高まる。第二にめまぐるしい社会変化、将来への不安を抱く中間層に、ヒンドゥー・ナショナリズムは美化された過去を語り、将来への自信を提供する。第三に弱肉強食の自由競争経済社会にあって、攻撃的価値を説くヒンドゥー・ナショナリズムにすがる個人が増える。第四に地域共同体の絆が弱まり見知らぬ隣人が増える都会にあって、ヒンドゥー・ナショナリスト組織は疑似的共同体機能を果たす。第五に世俗国家、行政の腐敗に対する不信が、世俗主義の偽善を攻撃するヒンドゥー・ナショナリズムへの支持を高める。ヒンドゥー・ナショナリズム台頭の背景には、90

年代以降インドの経済・社会的変容とこれがもたらしたアイデンティティー不安が存在している。

ヒンドゥー・ナショナリズムと「ボリウッド」映画

インドが有するソフトパワーの一つとして、「ボリウッド」と称される、ハリウッドに対抗しうるほどの輸出力をもつ映画産業があるが、ボリウッド映画産業も政治と無縁ではなく、時に政治権力はボリウッド映画作りに影響を及ぼし、時には映画が選挙結果に影響を及ぼす役割を果たしている。

90年代ヒンドゥー・ナショナリズムを高揚させた映画として、よく引き合いに出されるのが、インド人民党が政権を握る前年の1997年に公開され大ヒットした『国境（*Border*）』である。インド陸軍、空軍の全面協力で作られた作品で、第3次インド・パキスタン戦争でのインド軍の戦いを描いたもの。この作品では優勢な戦車部隊を有するパキスタン軍の猛攻に耐えて、西部戦線を守り抜いた部隊の悲壮な戦いが描かれている。

敵の銃弾を全身にあびて死んだはずの副隊長に、戦場の村にあるシヴァ神の祠（ほこら）から「気」が発せられると、彼は蘇り、地雷を抱えて突撃、敵の戦車を破壊するという場面が、この映画全編に流れるヒンドゥー・ナショナリズム感情の一例だ。

最近においてもヒンドゥー・ナショナリズム感情を刺激するボリウッド映画が続々と製作されている。たとえばマハラシュトラ州で強烈にヒンドゥー・ナショナリズムを扇動した政治家を肯定的に描いた『タックレー（*Thackeray*）』[6]が、そうした作品の一つだ。

（インターネット検索サイトに「Thackeray official trailer」と入力）

また前首相マンモハン・シンを題材とする『偶然首相になった人（The Accidental Prime Minister）』[7]ではインド人民党のライバル政党、国民会議派の腐敗を取り上げている。

（インターネット検索サイトに「The Accidental Prime Minister | Official Trailer」と入力）

なかでも「国境」同様の戦争映画で、大ヒットするとともにその好戦性ゆえに物議をかもしているのが、『Ｕｒｉ：外科手術的作戦』[8]である。

（インターネット検索サイトに「Uri Official Trailer」と入力）

この映画は、ジャンムー・カシミール州で相次いだイスラーム過激派のテロに対抗して、インド軍がパキスタン支配地域に越境攻撃した実話に基づくものである。同映画のなかでインド人民党政権を率いるモディ首相は、強い信念をもった愛国者として描かれ、「母なる祖国に栄光あれ」「国を守る覚悟はあるか」といったナショナリスティックな言辞が再三にわたり登場する。この映画の公開されたのが総選挙直前というタイミングだったのも問題を孕み、ヒンドゥー・ナショナリズム感情をくすぐるこの映画を、モディ政権は巧みに利用したという指摘もある[9]。

他方インドは民主主義国家であるがゆえに、政治権力と文化産業は一定の距離を保つべきだという声もあり、昨今のボリウッドがヒンドゥー・ナショナリズムになびく風潮を懸念する声も出ている。作家でジャーナリストのラナ・アユーブは、ボリウッドがイスラームを悪魔のように描き、国威発揚映画を競うように製作し、これを批判する数少ない映画人が脅迫、いやがらせに直面している現状を否定的に論じた[10]。

インド映画界のスーパースター、シャー・ルーク・カーンやアーミル・カーンもインド社会に拡がる不寛容を批判したがゆえに、政権の座にあるインド人民党幹部から「非愛国的」と非難されていた。

アーミル・カーン主演、宇宙人「ＰＫ」が現代インドで神様探しをするという風刺コメディ映画『ＰＫ』（２０１４年）もやり玉にあげられた作品だ。『ＰＫ』においてヒンドゥー・ナショナリストが風刺されたことに彼らは怒った。またヒロインがパキスタンの男性と恋に落ちるというエピソードも問題視された。ヒンドゥー・ナショナリストの一部は、イスラーム教徒男性がヒンドゥーの共同体を弱体化させる「ラブ・ジハード（愛の聖戦）」という邪悪な意図をもって、ヒンドゥー教徒の女性に近付き、彼女をたぶらかして結婚しイスラームに改宗させようとしていると主張している。『ＰＫ』もパキスタンの情報機関によるラブ・ジハード謀略の一環だというのである。

２０１９年７月には、アパルナ・セン、マニ・ラトナムら著名な映画監督・文化人49人がモディ首相宛てに公開質問状を送り、「ヒンドゥー・ナショナリズムの政治圧力によって、独立以来インドが堅持してきた芸術表現の自由が脅かされている。権力への異議申し立てができることこそ、民主主義の証」と呼びかけた。

近代的な視点から再編集される「伝統」

ヒンドゥー・ナショナリズムはインド古来の伝統、歴史を利用し、美化することによって多様なヒンドゥー教徒を糾合しようとしている。しかし、これにより、かえってインドの国民統合に亀裂が生じている。他方、ヒンドゥー・ナショナリズムのような上からの「伝統」復興とは違った形で、伝統を現代に再生しようとする動きもある。インドの歴史学者Ｋ・Ｎ・パニッカルのアーユルヴェーダ研究が参考になる。この研究を参照しながら、下からの伝統復興について考えていきたい[11]。

アーユルヴェーダは、最近日本や世界中で注目を集めるインド古代から伝わる伝統医療であるが、英国植民地時代の19世紀末、西洋近代文明の優位を説く英国人支配者を前に、アーユルヴェーダ関係者は深い劣等感と文化的圧迫を感じていた。

パニッカルによれば、伝統医療がジリ貧状態に追い込まれるなかで、危機感をばねとしてアーユルヴェーダ再興の動きが19世紀末から20世紀初頭にインドに芽生えた。アーユルヴェーダ改革の功労者とされるのが、P・S・ヴァリアルだ。１８６９年に寺付きカーストの家に生まれ、サンスクリット語に堪能であったヴァリアルだが、英語、西洋医学を学んだ。異文化を摂取することから、伝統文化復興に向かったアーユルヴェーダ中興の祖の歩みは、伝統がいかにして生命を取り戻すことができるか、一つの典型を示しているように思える。

ヴァリアルは、身に付けた西洋近代の教養を駆使して、アーユルヴェーダが衰退した要因を理性的に分析し、それによって照らし出した弱点を改めることから、アーユルヴェーダ復興を始めた。まずアーユルヴェーダに関する充分な知識を持つ医療関係者が、減ってしまっていた。これが問題だった。彼は、正しい知識の普及を、当時の最新技術であった出版印刷によって進めた。アーユルヴェーダの薬カタログを作り、アーユルヴェーダの歴史を執筆している。

第二の問題点である近代的な医師養成システムがないことについて、１９１７年に新たにアーユルヴェーダ医師研修所を開設した。この研修所では、アーユルヴェーダの医療術のみならず西洋医学についてもコースを設けた。「アーユルヴェーダは、インド人に最も適した医療であるが、孤立してはならない。交流を通じて、他の医療体系の長所を取り入れるべきである」というヴァリアルの哲学が、この印洋折衷カリキュラムの土台にある。

第三の問題点、安定的な薬の供給ができない点について、ヴァリアルは1902年にアーユルヴェーダ薬の製造と販売を行う会社組織を設立している。ヴァリアルの改革で最も成果をあげたのが、この企業設立だった。この企業は、当時ほとんど普及していなかった薬の瓶詰め技術を導入し、薬の長期保存を可能にした。この企業は大成功をおさめ、今日インド南部州ケーララの至るところでこの企業が製造したアーユルヴェーダ薬が売られている。企業設立により、近代化された社会にあって国からの支援に頼らない、持続可能な伝統文化の生き残りの経済基盤が固まったのである。

以上の通り、ヴァリアルが危機にあったアーユルヴェーダを復興させることに成功したのは、伝統を継承しつつも、西洋近代文明の優れた点を取り入れ、最新の技術を導入し、限られた層に閉鎖的に淀んでいた知識を広範な層に普及したことにある。これは、グローバリゼーション下にあって存続が危ぶまれているアジアの伝統文化が、いかに生き残っていくかを考える上で、貴重な事例を提示している。

また「伝統」や「古典」というものが、実は原型を元にしつつも近代的な視点から再編集、再生産された「新しい」ものであり、そうした再生産された伝統によって「国民の誇り」が形成されていること、「新しい伝統」の形成は必ずしも中央権力によるトップダウンのみでなく、地方の自己刷新から生じて一国レベルまで共有されるケースもあることを、アーユルヴェーダの復興は教えてくれる。「インド人がインド人であること」、これは古く、かつ新しい。

注

（１）２００７年にマッキンゼー・グローバル研究所は年間可処分所得３６０６～1万８０３１米ドルを中間層と定義して、２００５年時点５０００万人だったこの層が、２０１５年2億５０００万人、さらに２０２５年までに5億８３００万人にまで拡大すると予測した。American Quaterly, *Indian Middle Class*, https://www.americasquarterly.org/indias-middle-class（２０１９年9月17日アクセス）

（２）世界銀行「世界の貧困に関するデータ」https://www.worldbank.org/ja/news/feature/2014/01/08/open-data-poverty（２０１９年9月17日アクセス）

（３）竹中千春『ガンディー　平和を紡ぐ人』岩波新書、２０１８年、１４０～１７７頁。

（４）小川忠『ヒンドゥー・ナショナリズムの台頭　軋むインド』ＮＴＴ出版、２０００年、76～77頁。

（５）同右、１１２～１１３頁。

（６）*Thackeray: Official Trailer*, https://www.youtube.com/watch?v=Qqpl_sAcQF8（２０１９年9月17日アクセス）

（７）*The Accidental Prime Minister, Official Trailer*, https://www.youtube.com/watch?v=q6a7YHDK-ik（２０１９年9月17日アクセス）

（８）*Uri: The Surgical Strike, Offical Trailer*, https://www.youtube.com/watch?v=VVY3do673Zc（２０１９年9月17日アクセス）

（９）India's celebrities confront Hindu nationalism, Qantara.de, https://en.qantara.de/content/cultural-politics-in-india-indias-celebrities-confront-hindu-nationalism?nopaging=1（２０１９年9月3日アクセス）

（10）Rana Ayyub, Bollywood and the politics of hate, in Al Jazeera.com, https://www.aljazeera.com/indepth/opinion/bollywood-politics-hate-190512120818857.html（２０１９年9月3日アクセス）

（11）K.N.Panikkar, *Culture, Ideology, Hegemony: Intellectuals and Social Consciousness in Colonial India*, (New Delhi, Tulika, 1998), pp.145-173.

7章　バングラデシュ

「ベンガル」と「イスラーム」のあいだで揺れる国民意識

中国
ブータン
ネパール
インド
インド
ダッカ
ミャンマー
コックスバザール
西ベンガル州
（インド）
バングラデシュ人民共和国
0　200km

バングラデシュの概略

国土：14.7万平方キロ（日本の4割）。国土の中央は、広大な低地で、雨季になると洪水で広い地域が水没する。ガンジス他の大河はたびたび流れを変え、地形を変形させる。自然災害多発地帯である。

人口：1.6億人（2018年政府統計）、世界7位。人口密度1平方キロ当たり1110人は、小国・都市国家を除けば、世界で最も人口密度が高い国。

政治：共和制。長く軍事政権が続いたが、1990年に民主化、91年に大統領制から議員内閣制に移行し、5年ごとに総選挙が行われている。元首は大統領、政治的実権を握るのは首相。

経済：2017年の名目GDP総額は1800億ドル（世界銀行）。一人当たりのGDPは1675ドル（2018年政府統計）、国民の4人に1人は貧困、数にして4700万人の貧困層が存在する[(1)]。2018年度の経済成長率7.86%。国民の過半数が農村に住み、農業に従事し、コメやジュートを海外に輸出している。

民族：ベンガル人が大半を占めるが、ミャンマー国境沿いに仏教系少数民族が居住する。ミャンマーから流入した100万人以上（2019年8月時点）のロヒンギャ難民がコックスバザールで厳しい生活を余儀なくされている[(2)]。

言語：国語はベンガル語。成人識字率72.9%。

宗教：イスラーム90.39%、ヒンドゥー教8.54%、仏教0.6%、キリスト教0.3%。（2011年国勢調査）[(3)]

変化する「国民意識」の源

２０１６年７月１日、バングラデシュからの衝撃的なニュースが世界を駆け巡った。首都ダッカの外国人客が多い高級レストランを武装集団が襲撃し、日本の国際協力専門家７名を含む20名が殺害されるという大規模テロ事件である。バングラデシュ政府は、国内の過激イスラーム組織の犯行であるとして取り締まりを強化し、構成員と疑われた多数の同国人を検挙した。他方、「イスラーム国バングラデシュ」と称する組織が犯行声明を出し、さらなるテロを呼びかけるメッセージを発している。バングラデシュ政府は今回の事件を、国内過激組織の犯行であり、「イスラーム国バングラデシュ」や「インド亜大陸のアル・カーイダ」など国際テロ組織の直接のつながりはない、としている。事件の背景を調べると浮かび上がってくるのは、バングラデシュという国の社会変化とこれに伴う国民意識の変容という要因である。

この国は世界最貧国の一つだったが、２０００年代半ばから繊維産業が発展し、またグローバリゼーションの時代にあって海外出稼ぎの送金が増加するなかで、２００５〜２０１５年の10年間は年平均６・２％の高い経済成長を達成し、２０１５年には世界銀行の分類で低中所得国となっている。

「バングラデシュでイスラーム過激派によるテロ」というニュースを聞くと、昨今のイスラーム嫌悪感情と結びついて「イスラームは暴力的」「イスラーム教徒は頑迷固陋（ころう）な人たち」「テロは貧困から生まれる」といった感想をもつ人も多いだろう。しかしこの事件の犯人像をたどると、こうしたイメージと必ずしも一致しないことがわかる。そして彼らの動機にはアイデンティティーの危機という問題がからんでくることも見逃せない。

本書を貫くテーマは、いわゆる「国家」「国民意識」とは不変のものではなく、常に変化するものであるとともに、政治的立場や階層によっても異なる多層的なものだということだが、国民意識の可変性・多層性を考える上で格好の材料を提供するのがバングラデシュである。「国民」とは通常考えられているよりも不安定なものであることを、まず元バングラデシュ大使・堀口松城著『バングラデシュの歴史[4]』等を参照しながら考えてみたい。

ベンガルのイスラーム化

バングラデシュは、1971年に誕生した国家としては若い国であるが、その地域に人が住みだした歴史は古い。そしてインドと切り離して考えることができない。ベンガル地方（現在のインド西ベンガル州及びバングラデシュ）は、ガンジス、ブラマプトラ、メグナという大河のデルタ地帯にあって肥沃な土壌と頻発する洪水・モンスーンという厳しい自然環境から、インド文明圏のなかで独特の文化を形成してきた。この地域では紀元前から仏教王国、ヒンドゥー王国が栄えていたが、西北からインドに侵入したイスラーム勢力がベンガルに達してイスラーム王国を建設したのは13世紀以降である。さらに時代を経てインドに空前の大帝国を築いたイスラームのムガル帝国がベンガル支配を確立したのは16世紀である。その後、次第にインドで勢力を伸ばした英国がベンガルでも東インド会社を通じて植民地体制を強化した。ついに英国がムガル帝国を滅ぼしたのが1858年で、これ以降ベンガルは英国によって直接統治される。古代から19世紀までバングラデシュは、ベンガルの一部であり、ベンガルはインドの一地方であった。この時点では「バングラデシュ国民」という意識は存在していなかったのである。

振り返るとベンガル地方のイスラーム化は、13世紀のイスラーム王国の樹立以来緩やかに進んだ。ベンガルのイスラームの起源は、「移住説」と「改宗説」に大別できるが、バングラデシュ研究者の高田峰夫によれば、近年は改宗説ないし折衷的議論が有力となっている[5]。改宗説に基づけば、そのイスラーム化の特徴は、武力による強制的な信仰の押し付けではなく、ベンガル住民の自発的改宗である。その改宗に大きな役割を果たしたのが、スーフィーと呼ばれるイスラーム聖者たちである。弟子たちとともにベンガルにやってきたイスラーム聖者は、元々各地にあった習慣・伝統を尊重しながら、瞑想を通じて神と直接交わり直観することを民衆に説いた。ヒンドゥー教のカースト制度で差別に苦しむ下層カーストにイスラーム聖者の教えに共鳴する人が現れ、イスラームへの改宗が進んだ。

イスラーム王国の為政者たちは、他宗教に対して鷹揚であったようで、彼らの言語であるペルシア語やアラビア語を支配者の言語とするとともに、被支配者のベンガル人にはベンガル語の使用を認めた。これにより「解放された知を基盤にさまざまな宗教運動も登場[6]」し、結果としてヒンドゥー教の信仰も盛んになった。イスラーム勢力の支配により直線的にイスラーム化が進んだのではなく、これと並行して「ヒンドゥー化」も進行した[7]という高田の指摘は、歴史の多重性を教えてくれる。

こうして緩やかに進んだイスラーム化がもたらしたベンガルのイスラームの特徴として、土着化、ヒンドゥーとの習合、融和傾向があるとされ、それゆえにベンガルのイスラームは東南アジアのイスラームに似て、「緩いイスラーム」「穏やかなイスラーム」とされてきた。

ベンガルにおけるイスラームとヒンドゥーの習合を象徴する音楽が、バウルの唄である。これは、

歌うバウル（Debavasya 撮影、CC BY-SA 4.0）

ベンガルを代表する民俗音楽で、ユネスコの無形文化遺産に登録されている[8]。

バウルは風狂の修行者であり、ぼろをまとって村から村をまわり托鉢しながら、一弦琴を爪弾き太鼓をたたきながら身体を通じた神との交感を歌い、舞う。バウルは、ヒンドゥー教、仏教、イスラームの聖者崇拝の影響を受けつつも、それらとは異なるものとされ、いかなる宗教にも属さない[9]。

（インターネット検索サイトに「UNESCO, Baul Songs」と入力）

バウルの起源は定かではないが、19世紀から20世紀にピークを迎え、後述の詩聖タゴールにも大きな影響を及ぼしたと言われている。

ベンガルの風土で育まれた独特の宗教世界を体現する存在がバウルであるが、近年では近代化、商業化の波がバウルの世界にも忍び寄り、ステージで歌い、DVDを出しメディアで活躍するプロ歌手のバウルも現れている[10]。

英国植民地政策とイスラーム・アイデンティティー

英国の植民地支配は、ベンガルからの富の収奪、農村の疲弊をもたらした。他方、西洋近代の知識、思想、文化教養がベンガル社会に紹介され、英語教育を受け西洋文明の影響を受けた若いベンガル人知識層が自分たちのアイデンティティーに目覚め、ベンガル文化の復興運動「ベンガル・ルネッサンス」を開始した。「ヒンドゥー」「イスラーム」といった宗派ではなく、ベンガル語という言語・文化に根差した「ベンガル」アイデンティティーの活性化である。ベンガル・ルネッサンスの象徴的存在、アジアで初めてノーベル賞を受賞した詩聖タゴールはベンガルの風土に根差した死生観、近代文明批評を美しいベンガル語で詩や小説に紡いだ。彼が作詞した「人々の意思」はインド国歌に、「黄金のベンガルよ」はバングラデシュ国歌になっていることからも、ベンガルの豊かな文化芸術的想像力はインドにとってもバングラデシュにとっても重要な国民意識の礎になっていることがわかる。

詩聖タゴール

さてベンガルのイスラーム化は進み、19世紀に入るとイスラーム教徒の人口はヒンドゥー教徒を上回るようになっていた。[11] ヒンドゥー教徒は地主層において圧倒的多数派で、イスラーム教徒は小作農において多数派であり、宗派の違いは経済的な階層の違いでもあった。[12] この状況は、ヒンドゥー教徒、イスラーム教徒それぞれに宗派意識を先鋭化させ、対立が目立つようになってきた。英国の植民地支配に対するインド人の権利要求を求める運動のなかでも、過去のインドの栄光をヒンドゥー文明の所産とするヒンドゥー教徒とこれに反発するイスラーム教徒の対立の構図が鮮明なものになってきた。

こうした階層間対立かつ宗派間対立に目をつけたのが植民地支配者の英国である。ベンガルを、イスラーム教徒が多数派の東ベンガルと、ヒンドゥー教徒が多数派の西ベンガルに分割し、民族運動の分断を図ろうと英国インド総督カーソンは考えた。１９０５年10月に発効したベンガル分割令は、インド全土で反英闘争の大きな政治的うねりを生む契機となるとともに、インド独立運動のなかで、イスラームとヒンドゥー教徒双方に猜疑心を芽生えさせることになった。

歴史家は、このベンガル分割令を、後のインド・パキスタン分離独立、さらにその後のバングラデシュ国家誕生の出発点と位置づける。この頃から、ベンガルにおいてイスラーム教徒とヒンドゥー教徒の対立は暴力的色彩を帯びるようになり、同じベンガル語を話す者同士でも「我々」意識は損なわれ、宗派意識が強くされるようになる。東ベンガルでは「(インドの一部としての) ベンガル」から「イスラーム」へとアイデンティティーの礎が徐々に変わっていったのである。

19世紀後半からインド独立に至る20世紀前半にかけて、宗派意識という「分離的アイデンティティー」と「近代的統一国民国家／国民の形成」という矛盾する二つのベクトルが英領インドのなかでせめぎ合った[13]。そうした過程のなかで、１９４０年以降は、宗派間対立は激化し、暴動がくりかえされる事態となっていた。

インドの民族主義運動のなかでイスラーム教徒の声を代弁してきたムスリム連盟は、１９４０年３月の大会でいわゆる「パキスタン決議」を採択し、イスラーム教徒は一つの民族であり少数派グループではないと主張し、英国に対して、それぞれの民族が民族国家をもつことを要求した。この時点ではムスリム連盟の指導者は、インドの東と西にそれぞれ別のイスラーム教徒が主体となる複数の独立国構成を想定していた。

しかし1946年のムスリム同盟のデリーでの決議では、インドの東側の領域、すなわちベンガルもパキスタンの構成単位の一つと位置づけられた[14]。

1947年2月、英国は48年6月までのインドからの撤退を発表した。最後のインド総督マウントバッテンは、イスラーム教徒が多数を占める地域ではインドとは別の国家を作ること、ただしイスラーム教徒が多数派のパンジャブとベンガル州内において、ヒンドゥー教徒が多数を占める地域は州を分割するか否かを選ぶ自由があること等を骨子とする提案を発表した。

この提案を行う前にマウントバッテンは国民会議派やムスリム連盟の指導者と協議したが、そのなかに東ベンガルをパキスタンとは別個の国家として独立させる主張をする指導者は含まれていなかった。それゆえに東ベンガルの住民には、パキスタンとは別のイスラーム主体の民族国家を樹立するという道は残されていなかった。

かくしてベンガルでも東はパキスタン参加を選択し、西はインド参加を選択して、1947年8月14日にパキスタンが独立し、その翌日インドが独立を宣言した。英国植民地のインドが、インドとパキスタンという二つの国家に分離して独立したことは、大きな混乱を引き起こした。インド内に居住するイスラーム教徒がパキスタンへ、パキスタンに居住するヒンドゥー教徒がインドへ移動を始め、その数は1200万人にものぼり、途方もない規模の民族移動が十分な準備もなく実施されるなかで両教徒間の諍いが流血の暴力となり、100万を超える犠牲者が出た。

この体験は、インド、パキスタン両国民のトラウマ、負の歴史記憶となり、現在の印パ対立にまで影響を及ぼし続けている。パキスタン国民となった東ベンガルの人々にとって、この時点で国民意識の礎となるのは「我らイスラーム同胞」といった宗派への帰属意識だった。

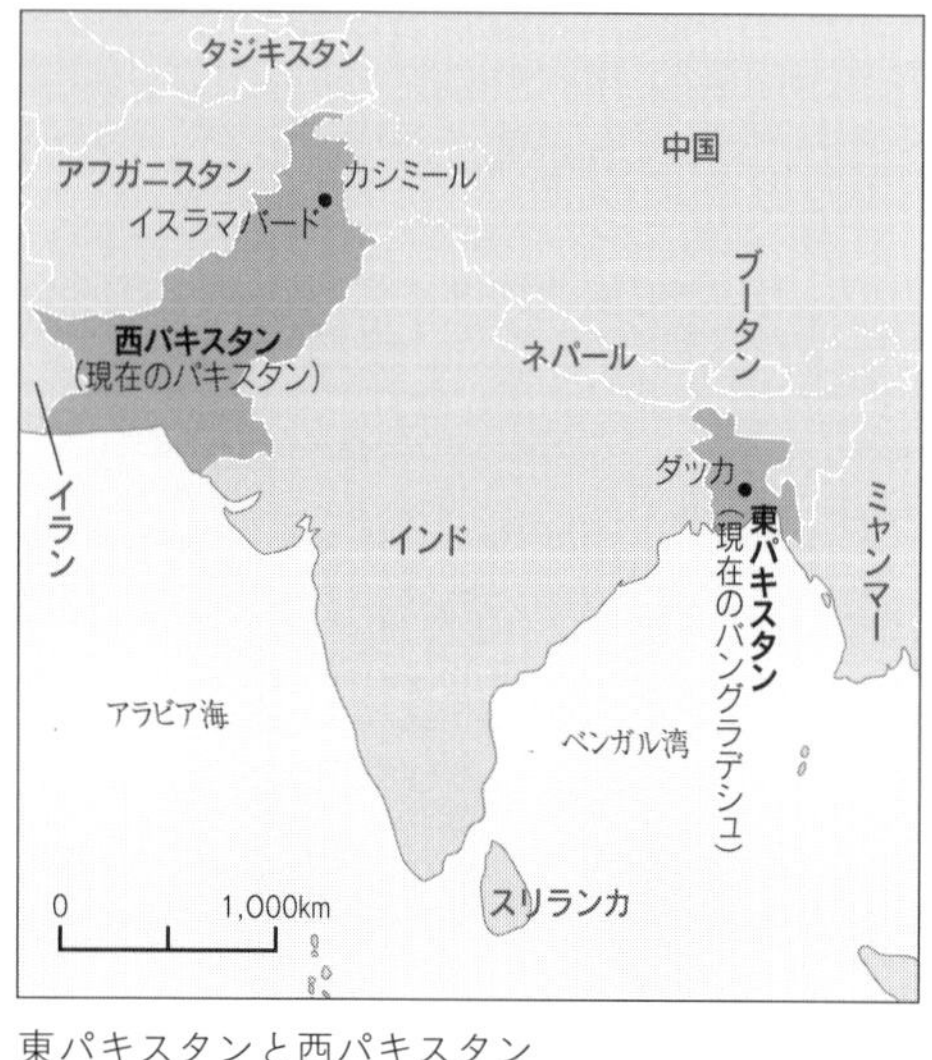

東パキスタンと西パキスタン

「東パキスタン」から「バングラデシュ」へ

英国から独立した時、インドを挟んで東西に1800キロも離れた東パキスタンと西パキスタンから成る特異な国家パキスタンが誕生した。東西はそれぞれ、人種、言語、文化、自然条件、社会、文化が異なり一つの国家としてまとまることは相当に困難であることが予想された。両者をつなぐのは、ヒンドゥー教徒が多数であるインドと違ってイスラーム教徒が多数であることのみであった。パキスタン国民たる東ベンガルの人々の国民意識の前面にあったのは、宗教である。

しかし、同じイスラーム教徒といっても、イスラーム聖者への信仰篤く土着のヒンドゥー的伝統とも習合したベンガルのイスラームは、パキスタンのイスラーム受容とは異なる特徴を有していた。東パキスタンのベンガル人は全パキスタン人口の56％を占める多数派であるにもかかわらず、パキスタン政府や軍の実権を握るのは、西パキスタンのパンジャブ人やシンド人であった。インフラ整備や国民生活の向上に対する投資は西側が優先され、英国植民地支配者と同じように西パキスタンが東パキスタンを搾取しているという認識が、東パキスタンで次第に広がっていった。

こうした状況のなかで政治問題となったのが、言語政策である。前述した通り、ベンガル語は植民地英領インドにおいて民族的誇りを覚醒させたベンガル・ルネッサンスの母胎であり、ベンガル人は自らの言語ベンガル語に誇りをもっている。

にもかかわらず、独立後のパキスタンで公用語とされたのは西パキスタンの言語ウルドゥー語と英語であり、パキスタン政府は人口多数派の母語ベンガル語を公用語から除外した。これに対する抗議運動がダッカ大学の学生たちによって始まった。「言語運動」もしくは「ベンガル語国語化運動」と呼ばれる。

１９４８年と52年に言語運動は展開され、52年2月21日は学生と軍の衝突で犠牲者も出た。１９５６年に制定されたパキスタン憲法では、ベンガル語をウルドゥー語と並ぶ公用語と指定しており、一定の譲歩が行われたが、言語問題が「ベンガル人」という民族意識を東パキスタンの人々に強く意識させ、ここからパキスタンからの独立運動が大きなうねりとなっていくのである。

独立後のバングラデシュではこの日を「言語運動の日」としてベンガル民族の誇りを再認識し、ブックフェア等の行事を通じてベンガル語の大切さを語り合う[15]。

ここに来て、ベンガルの人々にとってイスラーム・アイデンティティーは後方に退き、代わって言語・文化の領域において独自の一つの民族「ベンガル人」であるという意識が前面に出てきたのである。

バングラデシュ独立と再びのイスラーム意識の活性化

ベンガル語の言語運動で火がついたベンガル・ナショナリズムを背景に、東パキスタンの政党アワミ連盟はパキスタン政府に対して、普通選挙による議会制民主主義の確立、国防と外交を除く東パキスタンの自治権拡大等の6項目の要求を行い、１９７０年に行われたパキスタン初めての選挙において東パキスタンのほぼすべての議席を獲得する大勝利をおさめた。危機感を抱いたパキスタン政府は１９７１年3月26日に軍を使って弾圧を始め、これに抗して東パキスタン側はバングラデシュの独立を宣言し、ゲリラ戦による徹底抗戦の姿勢を示した。ベンガルの内戦はインドの介入を招き、同年12月3日第三次インド・パキスタン戦争が開戦した。インド軍は東パキスタンのパキスタン軍を12月16日に降伏させて停戦し、ここに新生国家バングラデシュは独立を達成した。

独立戦争の過程において、東パキスタンのイスラーム主義組織イスラーム協会や一部イスラーム指導者は、親パキスタンの立場からバングラデシュ独立に反対した。そのなかの過激分子が、バングラデシュ独立運動を担うアワミ連盟やこれを支持する知識人たちを、パキスタン軍と協力して大量殺害した。独立後のバングラデシュ政権を担ったアワミ連盟は、こうしたイスラーム過激派を戦争犯罪人として処罰することを、選挙キャンペーンで独立以来訴えてきた。２０１０年に「国際犯罪法廷」を設置し、イスラーム協会幹部らの死刑が執行された。これに反発するイスラーム協会勢力は各地で抗議運動を展開し、バングラデシュ国内のヒンドゥー教徒を襲うなどの事態が発生している。独立運動をめぐるイスラームの立場は、半世紀近い年月を経ても、国民統合の亀裂をもたらす負の歴史記憶となっているのだ。

独立後のバングラデシュは政策の失敗、権力の座についたアワミ連盟の腐敗、度重なる自然災害等で混乱に陥り、独立の父と呼ばれたムジブル・ラーマン首相とその家族が皆殺しにされるという血なまぐさい軍事クーデターが１９７５年に発生する。

権力を掌握したバングラデシュ軍部は、国民の圧倒的多数がイスラーム教徒であり、国民の一部がイスラーム過激派に同情的であったことから、国内政治の安定のため、イスラーム勢力の復活を容認し、イスラームを政治的に利用する。独立後最初のバングラデシュ憲法は国家原則の一つとして世俗主義を採用していたが、77年の憲法では前文にクルアーンの一節「全能の神への絶対的信頼と信仰」が挿入された。そして軍出身のエルシャド大統領は積極的にイスラームを政治利用し、中東諸国との関係強化を図った。彼の施政下にあった１９８８年に第８次憲法改正でイスラームは国教と定められた。イスラーム国教化の理由として、当局は国民のアイデンティティー確立と原理主義の抑止を挙げた[16]。再びイスラームが、ベンガルの人々の国民意識の前面に出てきたのである。

グローバリゼーションとイスラーム意識

ここからは高田峰夫の労作『バングラデシュ民衆社会のムスリム意識の変動』に拠りながら、現代のバングラデシュ国民のイスラーム意識のあり様について紹介したい。

高田は、90年代に入り「ファトワバジ」と呼ばれる奇妙な事件が起きており、イスラーム法学判断「ファトワ」が歪んだ形で広がっていることを指摘している。ファトワとは、一般の信徒が何か判断に迷うことがあった時、イスラーム法学者がイスラーム法に照らして「示唆」ないし「助言」を与えることである。裁判所の判決のような強制力、執行力をもたないのが本来のファトワである。ところが90年代以降バングラデシュでは、イスラーム法学者とはいえない地域の有力者が自らの主観的判断で、ある人の行為を「反イスラーム的」と断罪し、過重な刑罰を強制力のある「判決」として下す現象が見られるようになった[17]。こうした人権保護の観点から問題が多く、事件として取り上げられるようなファトワを宣告すること、もしくはこのようなファトワを下す人々は、「ファトワバジ」と呼ばれている。

高田は90年代の上述したような「ファトワ」事件を概観し、その特徴として①抑圧的「ファトワ」が下される対象は主として女性、それに次いでNGOであること、②事件のほとんどが村落で発生すること、③ファトワバジは村落の有力者であること等を挙げて、こうした「ファトワ」事件をめぐる次のような仮説を提示している[18]。

腐敗、人権侵害など政府セクターのガバナンスの低さが問題となるなかで、バングラデシュにおいて社会公益を担うNGOの存在感は大きく、社会変革の牽引車的役割を果たしている。彼らと連携して欧米や日本のNGO、ソーシャル・ビジネスも活発な活動を行っており、「ソーシャル・ビジネスの実践の場[19]」として知られ、ノーベル平和賞を受賞したムハマド・ユヌスのグラミン銀行などが社会開発の重要な一翼を担っている。80年代後半からグラミン銀行等NGOによって採用された、農村貧困家庭の女性への小規模無担保ローン（マイクロ・クレジット）が成果を収め、家庭内で経済的実権を握った女性たちの地位上昇、男性の相対的地位低下が起きた。さらにマイクロ・クレジットの普及は、村落社会において実権を握ってきた地域の保守的な有力者の発言力を相対的に低下させ、代わってNGOの発言力増大をもたらした。危機感を強めた地域の有力者たちが、NGOを隠れ蓑にして西洋キリスト教文明がイスラーム社会を弱体化させようとしているという言辞を用いて、女性やNGOに対する反撃を試みているのが「ファトワ」事件の頻発であると、高田は絵解きをしている[20]。

こうした事件が起きる背景には、グローバリゼーションの時代に入って、国境を越えて大量の人や情報が移動するなか、中東イスラーム地域との盛んな交流がバングラデシュ国民のイスラーム意識を活性化させ、さらにサウジアラビア等から宗教関連事業に多額の資金がバングラデシュに流入していることも一因としてある。中東諸国からの資金によって宗教教育が拡充され、中等学校ではイスラーム教育が必修化され、イスラーム教育機関マドラサの数も拡大し、その学生数は75年には12万人だったのが、96／97年には130万人に達し、10倍以上も増えている。こうしたマドラサ教育は概して保守的で、欧米諸国からはマドラサがイスラーム過激派の育つ苗床になっていると猜疑の目を向けられており、国内リベラル派から教育内容が時代遅れで抑圧的と批判されている[21]。

そして本章冒頭で触れた2016年7月のダッカ・レストラン襲撃人質テロ事件は、これまでにない特徴を示しており、それにもバングラデシュ社会の変化がからんでいる。というのは従来宗派間暴動においてイスラーム側で暴力をふるう主体は、貧困層、農村出身、無学な大衆とされ、彼らは外国とのつながりはなく、バングラデシュ社会の構造的矛盾が生み出した存在と考えられてきた。しかし、この事件の襲撃者たちは、このようなテロリスト像にあてはまらない。都市部の裕福な家庭出身で高い教育を受けた若者たちである。マドラサ出身でもない。バングラデシュ政府は否定しているが、IS（「イスラーム国」）やアル・カーイダといった国際テロ組織との関わりが濃厚である。

こうした従来の枠にはまらない新しいテロリストが出てくる背景には、近年の経済発展により貧困国といわれるバングラデシュにも、①都市部に一定の中間層が形成されつつあること、②彼らは従来の村落社会から切り離された存在で、若者たちのなかにはアイデンティティー不安を抱える者たちもいること、③教養を身に付け英語やアラビア語に堪能な中間層の若者たちはソーシャル・メディア等の新しい通信コミュニケーション・ツールを通じて、イスラームや世界情勢に関する多様な情報にさらされていること、④こうした情報環境のなかで、国際テロ組織のリクルートが行われていること等があると研究者は指摘している[22]。

バングラデシュにおいて、そこに生きる人々がいかにして自分たちのことを「バングラデシュ国民」と認識するに至ったか、その意識を根拠づける源は何かを、ここまでたどってきた。

インド文明の一つの地域であったベンガルにおいて、イスラームが流入し、ヒンドゥーや仏教といったそれまで存在したインド文明と混り合いながら、独自のイスラーム意識を育んできた。英国植民地下にあって、イスラーム意識が先鋭化していき、英国から独立の際は、「イスラームは一つの民族」という意識にたってパキスタン国民であることを東ベンガルの人々は選択した。

しかし西パキスタンとの言語・文化・社会構造の違いから、「ベンガル」意識が前面に、「イスラーム」意識が後方に移り、「東パキスタン」の人々はベンガルの国「バングラデシュ」として独立することを選んだ。

独立達成後は、後方にあった「イスラーム」意識が再び前面に出てくるようになった。また「イスラーム」意識そのものも、従来の村落的、習合的なものから、中東近代において派生したイスラーム原理主義やイスラーム・モダニズムなどの影響を受けて、多様化している。20世紀末以降、グローバリゼーションの影響が、イスラームを基盤とするバングラデシュの国民意識を変えつつある。

こうしたバングラデシュの国民意識形成の歴史をたどると、一般に考えられているほどに国民国家や国民意識は不変のものではないことが確認できるのである。

注

(1) 大橋正明「貧困の状況」、大橋正明他編『バングラデシュを知るための66章【第3版】』明石書店、2017年、194頁。

(2) 日下部尚徳・石川和雅編著『ロヒンギャ問題とは何か――難民になれない難民』明石書店、2019年、14～15頁。

(3) Bangladesh Bureau of Statistcs, Population & Housing, Census 2011, 203.112.218.65:8008/WebTestApplication/userfiles/Image/National%20Reports/Union%20Statistics.pdf（2019年9月17日アクセス）

(4) 堀口松城『バングラデシュの歴史――二千年の歩みと明日への構築』明石書店、2009年。

(5) 高田峰夫『バングラデシュ民衆社会のムスリム意識の変動――デシュとイスラーム』明石書店、2006年、2

７０～２７１頁。

（６）同右、２７７頁。

（７）同右。

（８）UNESCO, Baul Songs, https://www.youtube.com/watch?v=L-KUUDi11R0　（２０１９年10月13日アクセス）

（９）同右。

（10）外川昌彦「バウルの導師　フォキル・ラロン・シャハをめぐる謎」大橋他編前掲書、１０７頁。

（11）堀口、前掲書、１２５頁。

（12）同右、１２７頁。

（13）「バングラデシュへの歩み　東ベンガルの軌跡」、大橋他編前掲書、35頁。

（14）堀口、前掲書、１５５～１５６頁。

（15）渡辺一弘「ベンガル語　ベンガル人のアイデンティティー」、大橋他編前掲書、70～71頁。

（16）堀口、前掲書、３１９頁。

（17）高田、前掲書、３８９頁。

（18）同右、３９８～３９９頁。

（19）日下部尚徳「躍動するソーシャル・ビジネス」、大橋他編前掲書、２６２～２６６頁。

（20）高田、前掲書、４０８頁。

（21）同右、４０９～４１４頁。

（22）Bulbul Siddiqi, "Perception of the Pathways towards Radicalization among Urban Youth in Bangladesh" in *Radicalization in South Asia: Context, Trajectories and Implications*, ed. Mubashar Hasan, Kenji Isezaki and Sameer Yasir (SAGE Publications, New Delhi, 2019), pp. 288–308.

8章 中国

中国は「一つの中国」なのか

中国の概略

国土：960万平方キロ（日本の26倍）は、世界第三位の大きさで地形は西高東低である。広大な国土において、北は寒帯、西は乾燥帯、高山帯、南は亜熱帯地域も存在するが、大部分は温帯で大陸性モンスーン気候。

人口：13.9億人、世界1位。建国時の人口は5億4千万人であったのが、その後爆発的に人口が増加し、2.5倍以上となった。政府は一人っ子政策を導入し人口抑制を図った。その結果、人口増加率は鈍化し、2030年頃にピークに達し、その後人口減に向かうと予想されている。

政治：人民民主共和制。中国共産党の一党支配体制。共産党の最高指導者である総書記、中央軍事委員会主席の習近平が元首にあたる国家主席を務める。

経済：2018年の名目GDP総額は13兆4074億ドル（IMF）。一人当たりのGDPは、9608ドル（2018年IMF）。2018年度の経済成長率6.6%。1978年に始まった改革開放政策により経済成長を始めた中国は、力強い成長を持続させ、2011年に名目GDP総額が日本を抜き世界第二の経済大国となり、日本の人口の数倍の中間層が出現したといわれる。しかし自らは「世界最大の途上国」という自己認識に立っている。沿岸部と内陸部、東部と西部、都市部と農村といった地域格差や富裕・中間層と貧困層の格差拡大は社会問題化している[1]。

民族：漢人が91.5%と大多数であるが、55の少数民族が存在する。

言語：公用語は中国語。政府は標準語政策をとり、北京方言に基づいた標準語を「普通語」（「国語」の意）として、学校教育やメディアを通じて普及している。

宗教：漢人のなかでは儒教、道教、仏教などが民俗宗教と結びついて定着していた。しかし中華人民共和国成立後政権の座についた共産党政権は無神論の立場であり、宗教を社会的に抑圧する政策をとってきた。21世紀以降、後述するように共産党政権と宗教の関係に変化が生じている。

かつて存在した東アジア独特の国際秩序

本章以降は、東アジアの国々の国民意識について考えたい。

これまで扱ってきた東南アジア、南アジアは過去に大帝国や文明が栄えた歴史はあるものの、近世・近代には欧米列強の植民地支配下に置かれ、その植民地の境界線を基に現在の国民国家の枠組みが形成された。他方、東アジアの中国・日本・韓国／朝鮮・ベトナムについては、現在の国境線とは一致しないものの、それぞれの国の原形は近世以前から存在し、それぞれ独自の文化、歴史を育んできた。

また東アジアの東南アジアとの違いは、この地域には独特の国際秩序がかつて存在していたことだ。現在の国際秩序は、欧州におけるウェストファリア体制を起点とする主権国家による国家間の合意、協調、これを維持するための外交使節の交換等の近代外交によって運営されている。主権国家の前提となるのは、国家を一元的に管理する政府、国境線の存在である。そしてそれぞれの主権国家は大国であれ、小国であれ平等という原則が存在する。

しかし東アジアには、この近代国際秩序とは異なる原理の国家観と国際秩序が存在していた。その中心にあったのは、中国である。いわゆる中華世界内の華夷思想、朝貢・冊封体制と呼ばれる地域秩序が、かつて東アジアにおいては機能していた。その中華世界が、19世紀半ばから欧米型の国際秩序に切り替わっていく。これが東アジアの近代化である。この近代国家造りの模索のなかで、それまでと違う自我意識、国民意識が形成されていった。

したがって東アジアの国民意識の変容を語るには、まず近世以前の中国から始めなければならない。

多民族国家の国民としての「中国人」

まずシンプルに問いたい。「中国人」とは誰か。

それは自明のことのように思われる。「中国語を話す」、「漢字を使う」、「中華料理を食べる」「中華三千年の歴史」うんぬん。こうしたイメージの基底にあるのは、単一の中国人という民族集団が存在し、それは数千年間の変わらぬ特質をもっている、という本質主義的な中国人理解である。

しかし、そう簡単ではない。実は中国人が自らを「中国人」「中華民族」と自称し始めたのはたかだか100年ほど前のことにすぎない。20世紀の初め清朝末期、改革派知識人の康有為、梁啓超らが近代的な主権国家、国民国家建設を説き、梁啓超は「自分たちの国には国名がない。中国を国名としよう」と訴えた。梁によれば、自国には国名がなく、「諸夏」「漢人」「唐人」とエスニック集団名に王朝の名が用いられ、外からは「震旦」「支那」と呼ばれていたという。康や梁らの論敵である章炳麟は、漢字の字音によって構成される言語である漢語を母語とするエスニック集団を「中国民族」「漢民族」「中華人」と総称しようという提案を行った。章の提案は、漢語を母語としない少数民族を「中国」「中華」概念から排除している。

章炳麟の「中華＝漢人」認識とは違って、今日の中華人民共和国の国籍をもつ「中国人」のなかには、主要民族である漢人以外に、政府が認定する55の少数民族が含まれている。その人口比率は約8％の少数といっても1億人を超え、日本の人口に匹敵する。中国近現代史研究者の王柯によれば、少数民族のなかで比較的大きいのは、チワン人（1617万人）、満州人（1068万人）、回人（981万人）、ウイグル人（839万人）、ミャオ人（802万人）、イ人（776万人）、モンゴル人（581万人）、チベット人（541万人）、プイ人（297万人）、トン人（291万人）、朝鮮人（192万人）である[2]。以下、王柯の著書『多民族国家　中国』に拠りながら、中国が多様なエスニック集団によって構成される国家であることを認識してゆきたい。

最大の少数民族であるチワン人は、広西チワン族自治区中西部や雲南省南西部、広東省東部、貴州省南部、湖南省南部などの山間部に居住している。第二の少数民族である満州人は、17世紀現在の中国及びモンゴルにまで広がる大帝国である清を建国した女真と呼ばれた民族の末裔だ。20世紀現代中国文学を代表する作家と呼ばれた老舎も満州人である。皮肉なことに彼らは中国全土を支配するなかで漢人の文化に感化され同化し、独自の言語である満州語は消滅の危機に瀕している。

1949年に国民党から政権を奪取した共産党の中華人民共和国政府は、「少数民族」であるかどうかを認定するために、建国以来これまで3回にわたって「識別」という調査を実施した。「少数民族」認定の基準は、共同の生活地域、共通の言語、共同の経済生活、共有する心理素質・民族意識の四つである[3]。こうした作業を通じて、55の少数民族が存在することを中国政府は認定し、建前として「民族平等」のスローガンを掲げている。中国の戸籍登録等公的機関が発行する証明書、免許には「民族」という欄がある[4]。つまり中国政府は自らを多民族国家と規定しているということである。「中国人」という言葉は、民族的多様性を内包しているのだ。

総人口に占める少数民族の比率は1953年5・89％であったのが2000年には8・41％と徐々に増加しており、その理由の一つが「少数民族は漢民族よりも優遇されており、少数民族と漢民族の夫婦のあいだに生まれた子は少数民族籍を選択するから」と考えられる[5]。とはいえ中国当局は「民族は最終的に消滅する」というマルクス・レーニン主義の立場にたっており、少数民族の文化権が保障されているとはいえない。

たとえば大学入学試験・奨学金供与で少数民族優遇政策がとられ、各少数民族言語で教授することが原則保障されているが、こうした言語教育政策も大枠では漢語中心の教育体制に組み込まれており、初等教育から高等教育へとレベルが上がるにつれて、少数民族言語より漢語が優位な教育制度になっている。教育を身に付け、社会地位を向上させたい少数民族の若者は、漢語を学びの言語として選択せざるをえないようになっているのである。(6) またイスラーム教徒のウイグル人やチベット仏教徒の活動家が、当局によりテロ防止等の名目で拘束され収容所に送り込まれるなど、民族平等の建前とは裏腹に少数民族の人権が侵害されている現実がある。

「漢人」とは誰か

中国は多民族国家であり、「中国人」は多様なエスニック集団によって構成される人々であると書いたが、実際には国民の圧倒的多数（91・5％）は漢人であり、現代の中国を動かしている指導部のほとんどが漢人であるのだから、「中国人」とは漢人のこと、という考え方もあろう。

となると次に問うべきは、漢人とは誰か、漢人のアイデンティティーとは何か、ということになる。中学や高校で学んだ世界史の知識を反芻しつつ、我々は近代以前の中国の歴史は、以下のような農耕民族と遊牧騎馬民族の抗争の歴史と理解している。

農耕民族とは「漢民族」で、彼らが興した王朝「漢」や同じく漢民族王朝の「隋」「唐」は儒教を奉じ、中華文明の礎を築いた。彼らがモデルにしたのは「殷」や「周」といった中原に成立した漢字を用いた農耕民の古代王朝で、「秦」の始皇帝は「殷」「周」以上に領土を広げ、巨大な帝国を築いた。これら農耕民族の王朝は、野蛮であるが強い武力をもつ遊牧騎馬民族の度重なる侵攻に悩まされ、これを防ぐため万里の長城のような壁を建設した。

しかし、こうした歴史理解は多分に農耕民族の視点からの見方であり、筆者も長く漢人＝農耕民族と理解していたが、それは必ずしも正しくないということをNHKシリーズ「故宮博物館」のディレクター後藤多聞の著作から学んだ。後藤は、その番組制作にあたって作家司馬遼太郎から「漢とは何か」「中華とは何か」を考えよ、というアドバイスを受けたという。1996年1月司馬が急逝する一か月前のことだった。[7]

司馬は膨大な著作のなかで「漢とは何か」「中華とは何か」を考えるヒントを書き残している。

「本来、古典的人種論的な意味での漢民族など存在しなかった。」「（引用者注：漢人の源とされる古代王朝の）周は本来、（中略）牧畜民族に近縁をもつ『民族』であったという考え方は、現在ほぼ認承されている。」「（秦は）遊牧をし、かつ非漢民族であった。やがて徐々に農耕化するとともに渭水の流れに沿い、その下流の関中台地に入り、大勢力をなした。[8]」

農耕民族と考えられている「漢人」は、遊牧騎馬民族のDNAを受け継いでいるというのである。司馬はこうも書いている。

中国には五十いくつかの少数民族がいる。もっとも、漢族についても、固有の「漢族」など存在していなかったと私はおもっている。[9]

これはどういうことか。司馬の問いを考え続けた後藤も、中国研究の成果を取り入れて、「漢という名詞は漢王朝の故地、すなわち中原にあった人びとを総称するものにすぎず、純粋な民族概念ではなかったとする理解が、現在では主流となっている」と述べている。[10]

漢語の多様性

中国研究の成果といえば、現代中国研究者の矢吹晋は言語学者・橋本萬太郎、地理学者・諏訪哲郎の学説を取り入れて、中国語、すなわち漢語の誕生は、遊牧民族の北方型言語と農耕民族の南方型言語が本格的な接触をする3000～4000年前とし、「両者が接触し融合して生まれたもの――それこそが中国語にほかならない」[11]と述べる。橋本・諏訪仮説によれば、漢語を話す漢という民族は単に農耕民族ではなく、農耕民族と遊牧民族が溶け合って誕生したエスニック集団であり、漢語は農耕民族と遊牧民族の折衷物であるということだ。

この仮説によれば、中国語の発展を歴史的に見ると、北方型言語と南方型言語の折衷物である漢語は時代を経るにしたがって次第に北方型言語と南方型言語をわきに追いやり勢力を強め拡大していく。かつ漢語の発展過程のなかで、北方型言語の要素が次第に強まり、南方型言語の要素は減少していく。また現代漢語のなかにある方言分布に関し、南部の方言は南方型言語の要素が強く、北部の言語は北方系言語の要素が強い。漢語のなかにある多様性は、こうした一貫した法則に基づいている[12]。矢吹は具体的に以下の五大方言を挙げ、その概略を示している[13]。

- 北京方言を代表とする「北方語」
  北京を中心に揚子江以北の漢族居住地等で話される。漢民族の7割が話す。北方型言語の系統。
- 蘇州方言を代表とする「呉語」（湖南省の湘語含む）
  揚子江以南の沿岸部等で話される。漢民族の13％が話す。
- 厦門方言を代表とする「閩語」
  福建省、台湾、広東省東北部、海南島等の沿岸部で話される。漢民族の4％が話す。
- 梅県方言を代表とする「客家語」
  広東・福建・広西・江西の境界山岳部等で話される。漢民族の6％が話す。
- 広東方言を代表とする「粤語」
  広東・香港・広西等で話される。漢民族の5％を占める。南方型言語の要素が強く、広義のタイ語、チワン語に類似。

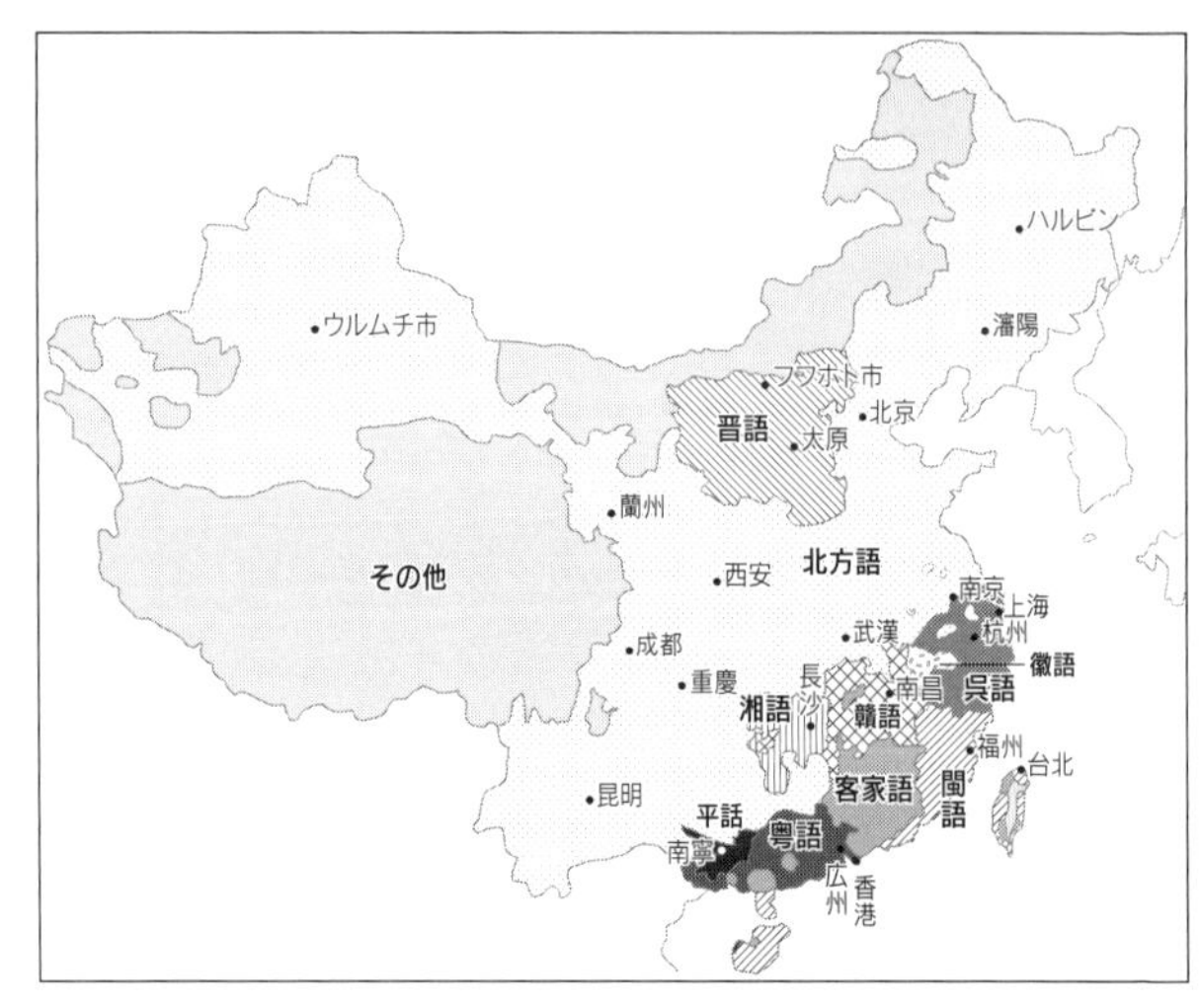

中国の言語分布（Wyunhe, CC BY-SA 3.0を基に作成。原図は Stephen Adolphe Wurm, Rong Li, Theo Baumann and Mei W. Lee, *Language Atlas of China*, Longman, 1987による）

これまで他国の事例で見てきた通り、一つの同じ言語を話すということは同胞意識、国民意識形成の重要な源になっている。そうした場合、一口に漢語といっても、実はそのなかに、「方言」と呼ばれるが実はそれぞれが一つの言語とみなしてもよいほどの多様性が存在しているのである。そして、この漢語の多様性は農耕民族と遊牧民族の、長い時間をかけた混成の反映でもある。20世紀初頭まで漢語を母語とする集団を「中国民族」「漢族」と総称しなかったのは[14]、こうした漢語の混成の歴史に負うところも大きい。

「中華」の世界観

司馬遼太郎はくりかえし「中華」とは人種論ではないと主張し、かつて東アジアに存在した文明について語っていた。

「華に参加すれば華だ」、というおおらかな感覚こそ、中華文明の核心をなすもので、つまりは人種論ではなく文明論の国なのである。[15]

北方や西方の騎馬民族はたびたび優勢な武力をもって「華」と呼ばれる農業地帯に侵入したが、彼らは征服王朝をつくってもほどなく農耕民族の文化に惹きつけられ溶け込んでゆき、「漢民族」となったというのである。

中華文明が周囲を魅了し、かくありたいと思わせる力、まさに今日の言葉で言えば「中華」のソフトパワーである。王柯はなぜ中華文化が強いソフトパワーを持ちえたのかという点について、「中華」そのものが外部から入ってきた異民族によって作られたという開放性、混成性にあると述べている[16]。

王柯によれば「中華」という用語は、紀元5~6世紀南北朝時代から使われはじめた。「中」「中原」とは方位概念「中央の平野」、すなわち黄河中流地域の農業が盛んな地域を意味し、「華」とは「草木が繁り実る」の意で、農業に従事する共同体の名称であるという[17]。つまり「中華」とは中原の農耕民の共同体を指し、周辺の農耕以外の生産形態をもち集団と区別する言葉であった。「東夷」「南蛮」「西戎」「北狄」の「四夷」と呼ばれた周辺民族にあてられた「夷」「蛮」「戎」「狄」の四文字はいずれも狩猟、遊牧集団の生活様式を指す言葉である[18]。

「中華」の世界観では、農耕民族が居住する中央には、「天」からの使命を帯びて「徳」によって共同体を統べる天子・皇帝が存在する。農耕共同体の文化的価値に従うこと、つまり「礼」を知ることが「華」の構成員要件であり、皇帝の徳によって教化されて「礼」を知るようになれば「四夷」も「中華」世界のメンバーに加われる。皇帝の徳は無限ではあるが、中央であればあるほど天子の徳は強く、中央から離れるほど皇帝の徳は徐々に弱まる。

このような「中華」の世界観では、西洋近代の「主権国家」概念のような国のウチとソトという考え方はなく、ウチとソトを区分する国境線は存在しない。「天」から命を受けた皇帝はただ一人世界の頂点に立つ者であり、西洋近代のような主権国家同士の対等の付き合い、「外交」も存在しない。代わって近代以前の東アジアには、朝貢・冊封体制と呼ばれる国際秩序があった。

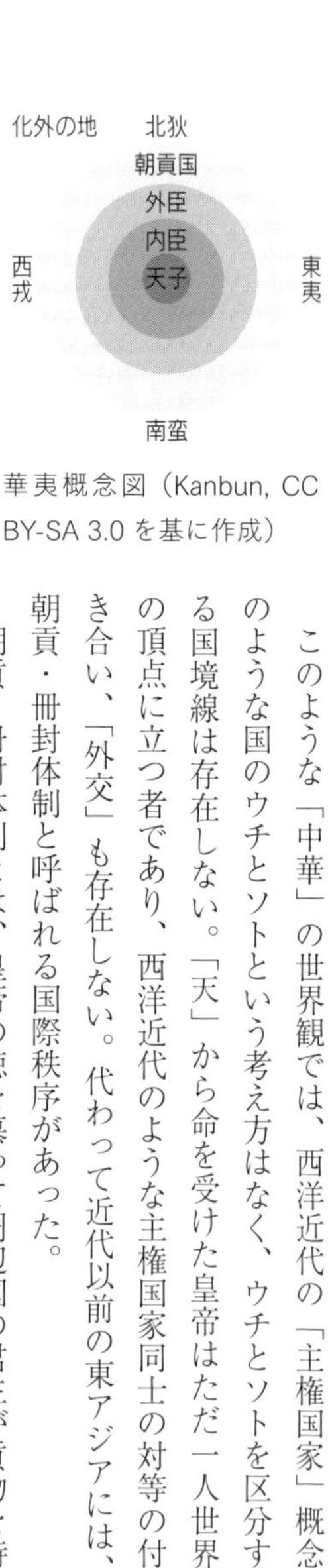

華夷概念図（Kanbun, CC BY-SA 3.0 を基に作成）

朝貢・冊封体制とは、皇帝の徳を慕って周辺国の君主が貢物を持たせた使者を送る（朝貢）と、皇帝はその君主の支配の正統性を認めて王などに任じ（冊封）、貢物を上回る返礼をもたせて使者を本国に返すという制度である。中国近現代史研究者の小野寺史郎によれば、朝貢・冊封はあくまで国家間の関係を君臣にみたてたフィクションであり、実際の従属や武力行使を伴う強圧的なものではなく、その国の内政に干渉することは基本的になかったという[19]。

皇帝側からの返礼は周辺国の貢物の数十倍に及ぶこともあり、今日の国際貿易の視点から見ると皇帝側の負担が大きいシステムである。しかし朝貢・冊封を通じて周辺国との関係を友好なものに管理維持することは安全保障上のメリットがあり、「経済関係を強化し、相互にメリットを見出すことで政治・安全保障関係の安定につなげる」という今日の言葉でいうなら総合安全保障的性格も持っていた。しかし国力が傾いてくると、多額の返礼を渡して体面を保つ朝貢・冊封体制は皇帝側にとって過大な負担と感じられ、その負担に耐え切れず朝貢を制限することもあった。

「中国人」意識、「中国ナショナリズム」の形成

今日の中国指導者が発する中華の自己アイデンティティーは三千年の歴史において継承されてきたものではなく、19世紀末以降の近代に起源をもつものであることを、王柯・後藤多聞・小野寺史郎らの中国ナショナリズム研究は指摘している。

中国史最大の帝国を築いた清王朝はアヘン戦争以降、圧倒的な軍事力・技術力をもって進出する西洋列強に度重なる譲歩を強いられ、屈辱を味わった。また従来、周辺国の一つにすぎなかった日本がアジアでいち早く近代化の道を歩み、国力を増強させたことも、清の危機感を高めた。ここに東アジアにおいて、国際秩序は、中華世界の朝貢・冊封体制から近代的な主権国家間の関係へと変質していく。

小野寺は、中国ナショナリズム形成の先駆者として国内改革・富国強兵を説いた康有為を挙げている。彼の弟子の梁啓超が近代世界において自らの国名・国史名を持つことの重要性を説き、彼らに影響を受けた知識人のあいだで「中国」「中華」等が用いられるようになった[20]。ここに「中国」「中華」は東アジアの文明圏を指す言葉から近代国家の名称へと変わったのだ。

ここで国民統合の問題となったのが、清は満州人が建国した王朝だったことである。皇帝をはじめ清朝の支配者たちは、中華文明に同化したとはいえ元々は狩猟民族の満州人である。康有為と梁啓超は清朝体制のなかで近代化を進めるべきという立憲派の立場をとった。康有為は「中華国」という名称を掲げ、満・漢・蒙（モンゴル）・回（イスラーム系民族）・蔵（チベット）を中華の構成員と主張した[21]。しかし、こうした立憲派の五族共和論[22]に対して、満州人の王朝を倒して共和制を樹立しなければなら

ないという革命派の勢力が次第に強くなっていた。章炳麟は五族共和を否定し、「漢の名を建て以て族となし」、「華の名を建てて以て国となす」、「中国民族とは、一名漢族、中華人と自称し、または中国人という」と主張した。漢語を話す集団を「中国民族」「漢族」「中国人」と総称し、満州人を排して「漢族」の国家を建設することを求めたのだ。

章炳麟は康有為ら立憲派の、満・漢・蒙・回・蔵の五つの民族によって構成される「中華民族」という概念を否定し、「中華民族」＝「漢族」と規定し、漢族以外の満・蒙・回・蔵が漢族の文化に同化しないならば、彼らを中華民族とは認められないと考えたのである。後藤多聞は、章炳麟の構想を唐の時代のおおらかな「中華」理解とは別物の、「革命期の中国が生んだ独善」[23]と評している。

しかし政治の主導権を握った革命派も、清朝が瓦解し新たな政体を立ち上げるという現実に直面すると、清朝が支配する領域を前提にして新国家の枠組みを考えざるを得なくなる。1911～12年の辛亥革命によって、新国家・中華民国の臨時大総統に就任した、革命派指導者の孫文は、「漢・満・蒙・回・蔵の諸地を合して一国とし、漢・満・蒙・回・蔵の諸民を合して一人とする。これを民族の統一という」（臨時大総統宣言書）と述べ、五族共和を説いた。もっとも公的な立場とは別に孫文個人にとっての「中華民族」とは、少数民族が漢族に同化して完成する将来の民族であり、数からもいっても大多数が漢族であることから、「中国人」とは「漢族」であると考えていた[24]。

清朝をもって、伝統的な中華世界秩序に基づく王朝国家は中国大陸から姿を消し、中華民国から近代的な国民国家の歴史が始まる。中華民国は、西洋のような近代的な国民国家の建設をもくろみ、上からの改革により民衆に国民意識を醸成し、「中国国民」の創出をめざした。国民国家の建設においては、国民が等しく同じ一つの言語を共有し、その言語を通じて同胞意識を強化していくのが常道である。すでに触れた通り、漢語は五大方言に見られるように地域的差異があって話し言葉としてのコミュニケーションが難しい。そこで中華民国は漢字の発音を統一し北京語をもとに「法定国音」を決定し、国が定めた標準言語「国語」の普及を図った。

また書き言葉を改良し、国民の識字率を上げようという試みも行われた。文学者・教育者の胡適はより話し言葉に近い書き言葉である白話文による文学を提唱し、識字率の向上をめざした[25]。しかし知識人主導の、民衆に理解しにくい白話文による言文一致運動は、さほどの成果をあげることができなかった。結局「国語」あらため「普通語」を国民全般に普及させたのは、中華人民共和国成立後、学校教育やラジオ・テレビなど新しく登場したメディアを通じた政府の力に負うところが大きい[26]。

中華人民共和国は1949年9月の政治協商会議共同綱領において「中華人民共和国内の民族は一律に平等であり、団結互助を実行し」「中華人民共和国を各民族の友愛合作の大家庭とする」と宣言した[27]。つまり「中国」は多民族国家であり、「中華」とは漢人のみならず諸少数民族が等しく権利を享受する国家であるというのだ。章炳麟の漢人本位の「中華」から、康有為・梁啓超の五族共和の「中華」に立ち戻ったかに見える。

しかし内実は必ずしもそうとは言えない。モンゴル人、チベット人などかつて漢人国家とは異なる国家を形成し、時に中原で覇を唱え、再び彼らの故地に戻っていった民族を、すでに一つの「中華民族」に同化したものとする一方、チベット、ウイグルの独立運動は「中華民族」の分派を招くものでこれを認めないという姿勢から、漢人本位の中華ナショナリズム強化の狙いが透けて見える[28]。

対外発信される中国の国民意識

習近平は2012年11月15日、中国共産党第18期中央委員会第1回総会において総書記に選出された後、内外記者団に以下のように述べた。

わが民族は偉大な民族だ。5000年余りの文明発展の過程で中華民族は人類文明の進歩に不滅の貢献を果たした。近代以降わが民族は数々の苦難を経験し、中華民族は最も危険な時期に到った。（中略）中国共産党は結党後、人民を団結させ、率いて、先人の屍を乗り越えて後に続き、粘り強く奮闘し、貧しく立ち遅れた旧中国を日に日に繁栄し強大になる新中国へと変え、中華民族の偉大な復興にかつてない明るい展望を開いた。（中略）わが人民は偉大な人民だ。とても長い歴史の過程で、中国人民は自らの勤勉さ、勇敢さ、知恵によって、各民族が睦まじく共存する素晴らしい国を作り、時を経てますます輝きを放つ優れた文化を育て上げた。[29]

この習の「中華民族の偉大な復興」という表現から窺えるのは、近代以降の中国が自我形成の過程で苛まれてきた西洋近代に対する劣等意識・屈辱感の存在と、20世紀末以降の国力増強を反映した自己肯定感の高揚である。この自己肯定感のなかでは、「復興」という言葉が示す通り、あたかも近代以前に「中華民族」という一つの、分けることできない民族がすでに存在していたようなイメージが想起されている。

しかしこれまで見てきた通り、「中華民族」という言葉は19世紀末から20世紀初めに創出された言葉であり、この概念の中身についても様々な議論が中国の知識人内部に存在していたのである。

長く対外的な劣等感に苦しんできた中国の指導層が、自信回復につれて、その自己肯定感を対外的に発信していきたいと欲するようになるのは自然の成り行きといえるかもしれない。２００２年11月中国共産党第16回党大会において文化事業と文化産業を発展させる文化体制改革が唱道され、当時の文化大臣は官民連携による文化貿易赤字の改善を語った。この頃から対外文化交流が中国企業の海外進出の一助となるという認識が広がった。２００７年10月の中国共産党第17回党大会において胡錦濤国家主席は「文化のソフトパワーを高めよう」と述べて、文化交流が外交の一翼を担う柱として、文化を通じて対外的に「中国を説明すること」が一層重要視されるようになった。青山瑠妙によれば、この頃に西洋の概念で中国を説明することに限界を感じた一部の中国知識人は伝統文化を用いて中国外交を理論的に説明しようという試みを始めた[30]。胡錦濤が唱えた「和諧世界」という概念もこうした試みから生まれたものである。

中国政府による「中国を説明する」対外文化発信において扱われる「中国文化」とは漢族の文化が主体であり、それ以外の少数民族の文化は添え物のような扱いになっている。こうした中国政府の対外文化発信に関して、それを肯定的に捉える立場であれ、否定的に捉える立場であれ、中国文化＝漢文化という理解が受け取る側にも刷り込まれていく。その仕掛けを実感したければ、２００８年北京オリンピック開会式の映像をみるとよい[31]。

（インターネット検索サイトに「full opening ceremony from beijing 2008」と入力）

世界的に高名な映画監督・張芸謀が演出した壮大な歴史絵巻は、中国の自信回復の自己表現でもある。「朋有り遠方より来る。また楽しからずや」という論語の唱和で始まった式典では、中国四大発明と中国人が誇る紙・火薬・羅針盤・印刷術が登場し、孔子の門弟の衣装を着た3000人の若者が行進し、舞い踊る。55の少数民族の衣装を着た子どもたちが登場するが、全体の流れは「5000年の悠久の歴史」をほこる漢文化の偉大さである。

漢人本位の中国文化を対外的に発信する政府の文化外交の柱になっているのが「孔子学院」である。漢文化の中核である儒教の祖、孔子の名を冠した中国語海外普及機関「孔子学院」は2004年に世界で初めて韓国ソウルに開設されたが、その後またたくまに世界各地に増設されて、2012年時点で105か国に358の「孔子学院」、5000を超える「孔子学堂」が設立された[32]。孔子学院は単なる語学教育の機関ではなく、中国文化への理解を高める機関と中国政府は位置づけている。孔子学院は一種のフランチャイズ方式で、中国政府は海外の大学と協定を結び中国側が開設資金や派遣中国人教師給与等を助成するのに対し、提携先の大学は運営経費を負担するシステムである。

しかしこうした中国の対外文化発信の試みに対して、中国国内における少数民族への人権侵害等、中国政府にとって不都合なテーマも自由に話せるのか、孔子学院は中国政府にとってあらまほしき中国像のみを伝えるプロパガンダ機関ではないのかという疑念が欧米諸国では広がっており、米国ではミシガン大学他孔子学院を閉鎖させる大学も出てきている[33]。

以上見てきた通り、西洋の国民国家、主権国家、主権国家間関係に基づく国際秩序とは異なる国家観、国際秩序が中国大陸を中心に東アジアにおいて存在してきた。こうした伝統的な世界観が近代的な世界観に移行する過程を通じて、中国、中国人の国民意識が形成されてきた。19世紀末から100

年以上の時間を費やして、変化は進み、現在の中国人の国民意識が存在する。

その歩みを振り返りながら、近年の中国研究は以下の点を明らかにした。「中華」は農耕民族と騎馬遊牧民族の混成によって築かれた文化であり、中華アイデンティティーの中核となる言語、漢語にはその混成の形跡が「方言」という地域的多様性のかたちで残されていること。すなわち「漢」自体、その内部に多様性を抱えていること。「中国人」「中華民族」は、西洋近代に対峙した19世紀末～20世紀初頭の知識人が考え出した新しい概念であること。

共産党との内戦に敗れた国民党政権が台湾に逃れ、「中華民国」政府が戦後台湾を支配するなかで、国民党政権に反発する人々のなかから台湾独立論が生まれ、台湾独立論者は大陸の中華人民共和国政府の支配をも拒否している。また「一国二制度」下の香港において２０１９年民主化デモが燎原の火のごとく広がり、これに手を焼いた北京の中国政府は香港国家安全維持法を２０２０年6月30日より施行し、民主勢力を抑え込もうとしている。台湾や香港の動きの背景には、20世紀に既成事実化し現中国政府指導部が強調してきた「一つの中国」とは違う、地域的・民族的・文明的多様性が中国大陸に存在し、統合圧力のなかでも残されている多様性因子が再び動きはじめたと考えられないだろうか。近代国家が構築され教育やメディアを通じて、中国の国民統合は強化されているように見えるが、正反対のベクトルも地下水脈のように流れていることは見逃せない。

さらに香港、台湾は近代以降、英国や日本の植民地となり、大陸中国とは政治的に切り離された領域だった。大陸中国とも植民地宗主国とも違う社会空間のなかで、「想像の共同体」論が主張する通りメディアや教育を通じて共同体意識を培ってきた。近代以前に存在した「漢」自体が内包する多様性の苗床に、香港ナショナリズム、台湾ナショナリズムが培養され、「一つの中国」への糾合に反発しているというのが今日の状況ではないだろうか。

注

（1）米国政策シンクタンクＣＳＩＳによれば、２０１７年時点で中国の総人口に占める階層別比率は富裕層（1日の所得50ドル以上）０・78％、上位中間層（20〜50ドル）９・65％、下位中間層（10〜20ドル）29・06％、貧困層（２〜10ドル）59・58％、最貧困層（２ドル以下）０・98％。China Power Project, CSIS, How well-off is China's middle class?, https://chinapower.csis.org/china-middle-class/（２０１９年10月13日アクセス）

（2）王柯『多民族国家　中国』岩波新書、２００５年、70〜71頁。

（3）同右、69頁。

（4）同右、ⅰ頁。

（5）同右、ⅱ頁。

（6）小川佳万「中国における少数民族高等教育政策」『比較教育学研究』第20号、１９９４年　https://www.jstage.jst.go.jp/article/jces1990/1994/20/1994_20_93/_pdf/-char/ja

（7）後藤多聞『漢とは何か、中華とは何か』人文書館、２０１７年、1頁。

（8）司馬遼太郎『司馬遼太郎が考えたこと11　エッセイ１９８１・７〜１９８３・５』新潮文庫、２００２年、99〜１００頁。

（9）司馬遼太郎『中国・閩のみち　街道をゆく25』朝日文庫、１９８９年、２３７頁。

（10）後藤、前掲書、24頁。

（11）矢吹晋『巨大国家中国のゆくえ　国家・社会・経済』東方書店、１９９６年、14頁。

（12）矢吹、前掲書、16〜17頁。

(13) 同右、24～25頁。
(14) 後藤、前掲書、365頁。
(15) 司馬、前掲『中国・閩のみち』、238頁。
(16) 王柯、前掲書、22頁。
(17) 同右、7頁。
(18) 同右、8～10頁。
(19) 小野寺史郎『中国ナショナリズム　民族と愛国の近現代史』中公新書、2017年、6～7頁。
(20) 同右、17～28頁。
(21) 後藤、前掲書、365頁。
(22) 日本の傀儡国家だった満州国もこれに倣って「五族協和」を唱えるが、こちらの五族は「和・韓・満・蒙・漢」で構成が異なる。
(23) 後藤、前掲書、368頁。
(24) 同右、373頁。小野寺、前掲書、110頁。
(25) 小野寺、前掲書、81頁。
(26) 同右、79～84頁。
(27) 同右、184頁。
(28) 後藤、前掲書、383頁。
(29) Japanese.China.Org.CN.「習近平総書記「素晴らしい生活への人民の憧れが、われわれの奮闘目標」http://japanese.china.org.cn/politics/txt/2012-11/16/content_27133107.htm（2019年10月13日アクセス）
(30) 青山瑠妙「中国を説明する：中国のソフトパワーと文化交流」『外交フォーラム』第252号、2009年、48～53頁。
(31)「北京2008　開会式」Throwback Thursday　https://www.youtube.com/watch?v=bufV3EgyPGU（2019年10月13日アクセス）

（32）青山瑠妙「中国の広報文化戦略：そのプレゼンスと重い課題」『三田評論』第１１５９号、２０１２年、31頁。

（33）朝日新聞２０１８年12月16日「中国語学習の孔子学院、米で閉鎖続く　対立で排除の動き」https://www.asahi.com/articles/ASLDJ5136LDJUHBI016.html（２０１９年11月１日アクセス）

9章 韓国

グローバル化と多民族化がもたらした儒教社会の変容

韓国の概略

国土：10 万平方キロ（日本の 4 分の 1）。朝鮮半島の 45%。温帯だが大陸性気候で、日本と比べて寒暖の差が激しい。

人口：5127 万人。世界 25 位。近郊都市を含めてソウル都市圏に約 45% が居住していて、日本同様に一極集中傾向が強い。2017 年に 65 歳以上が人口の 7%以上となり、日本同様に少子高齢化社会である。

政治：民主共和制。元首は大統領。50 年代から長く続いた軍事政権が民主化運動により倒れ、第六共和国憲法が 1987 年に制定された。同憲法に基づき 1988 年から大統領は 5 年ごとの国民による直接選挙で選ばれ再選はない。

経済：2016 年の名目 GDP 総額は 1 兆 4112 億ドル。一人当たりの GDP は 3 万 1370 ドル（2018 年）。2018 年度の経済成長率 2.7%。現在の韓国経済にはサムスンのように日本企業を凌駕する企業も出現しているが、高学歴青年層の失業問題や外国からの資金への過度な依存などが克服すべき課題とされている。

民族：韓民族が大多数。しかし近年は多民族化傾向が進んでいる。

言語：韓国語（朝鮮語）。韓国では「国語」（ウリマル）と呼ばれている。ハングル文字は、韓国語を表記するための表音文字である。ハングルのみで読み書きするための教育を受けた世代が多くなり、漢字を苦手とする国民が増加している。最近は再び、学校での漢字教育も重視すべきとされている。韓流や K-POP 人気から海外で韓国語を学習する人の数は増えており、日本も例外でない。

宗教：宗教人口比 53.1%。うち仏教 42.9%、プロテスタント 34.5%、カソリック 20.6%。4 世紀、中国から伝来した儒教は朝鮮半島に定着し、発展してきたことから、現代韓国社会においてもその影響は強い。

現在朝鮮半島には二つの国家、大韓民国（韓国）と朝鮮民主主義人民共和国（北朝鮮）が存在し、国民意識も異質の国家体制によって、二つに分断されている。本書が取り扱うのは韓国である。ただし分断以前の歴史を論じる時に文脈に応じて「朝鮮」「朝鮮／韓国」と記することもある。

アジアでまれにみる均質性

ここまで取り上げた東南アジア、南アジアの各国家のほとんどが多言語・多民族国家であり、それはこれらの国家が近代国家を建設する以前から、様々な民族が往来し混合した結果ゆえであることを、その歴史から我々は学んできた。さらに、前章では中国においても、同様に民族の興亡が繰り広げられ、通常「中国人」と呼ばれる「漢民族」「中華民族」という概念の内部にも実は多様性が存在していることを確認した。

そのような多様性を内包するアジアのなかで、韓国社会の均質性はかなり例外的といえる。韓国文化社会の研究者、伊藤亜人は、「同一の住民がこれほど（引用者注：1000年以上）長期にわたって安定した地域社会を維持してきた例は、世界史においてもまれ[1]」と表現している。巨大な中国に隣接し、またさほど遠くもない距離で海峡を隔てて日本と向き合う環境にあって、中国王朝の朝貢・冊封体制下、儒教・仏教を受容しつつ、中央集権的な王朝体制が千年以上続いた。政治、民族、言語、領域が十数世紀にわたってほぼ一致し、安定した国民統合が行われてきたのである。たしかにその均質性は、日本を除けば、他のアジア諸国にはないものである。

ただし、ここで注意しなければいけないのは、前近代において近代的な意味での「韓国国民」意識が存在していたわけではないことだ。儒教イデオロギーに基づく厳格な身分意識によって一体感形成を阻む垣根があった。また前章で触れた通り、天から使命を帯びた皇帝の徳は中央ほど強く、そこから離れるほど徳は弱まるという「中華」の世界観に基づく朝貢・冊封体制においては、宗主国である中国王朝、朝貢国である朝鮮王朝のいずれにおいても、辺境部に行くとウチとソトを分ける境界概念が近代以降ほど厳然としたものではなく、他方ウチのなかでの上下の隔てが厳然と存在する状況で、「我ら同じ国の民」という一体感は育ちにくい。それゆえにまれに見る均質性を有しながら、近代以前の韓国社会において現在のような強い国民意識が存在していたとは言い難い。

近世における国民意識の萌芽

近世以降の東アジア世界の変動のなかで、上記のような前近代の朝鮮社会も次第に変化し、国民意識形成への道が開かれつつあったことを、「小国」意識という概念を用いて政治学者の木村幹は説明している[2]。

木村によれば、歴代の中華王朝と比べて相対的に軍事力が弱かった明王朝は、漢王朝のような「皇帝は徳を以て、天下を普(あまね)く支配する」という開放的な建前論を捨て、現実的必要性から、自らの支配領域を明確に限定する閉鎖的な海禁体制を敷いた。ウチとソトを分ける心理的な垣根が強化されたのだ。これは、周辺の朝貢国の自意識覚醒の契機となった[3]。

さらに明朝を滅ぼして成立した、軍事的に強大な清朝は、華夷秩序において李氏朝鮮王朝の下位にあった女真族が建国した国である。清は強大であるが夷狄(いてき)の王朝であり、本当の「中華」王朝ではない。中原で滅んだ中華文明の伝統を受け継ぐのは、儒教を深く学び「礼」を知る自分たちであるという「小中華」意識が李氏朝鮮王朝に芽生え、儒教への傾斜を強めることで、清への表向きの服従の裏で清に対する文化的優越感を育んでいった[4]。清に対する忠誠を渋り、中華帝国の明を慕う崇明排清の感情は朝鮮王朝に最後まで残り続けた。朝鮮王朝にとって、軍事力による強制ではなく、中華の文化的権威に自ら進んで服する「事大主義」は、自己の文化的優越性を確認する思想的手段なのでもあった。「初めて明確に自己を他の誰よりも上位に置くことのできる論理を獲得[5]」したことによって、明の時代に芽生えた自意識はさらに活性化され、ウチとソトを分ける垣根は高くなったのである。

そして歴史の転換という観点から決定的だったのは、「夷狄」の王朝であるとはいえ現実には東アジアの朝貢・冊封体制の支配者であった清がアヘン戦争で英国に敗れたことである。中華思想に基づく朝貢・冊封体制という従来の東アジアの国際秩序が崩壊し、欧米列強そして少し遅れて日本がこの地域で勢力拡大競争を繰り広げる近代が始まった。朝貢・冊封体制は儒教イデオロギーを土台とする体制であり、その体制が西洋列強に倒されたということは、儒教イデオロギーの優越性が否定されたことを意味する。儒教に傾斜し、小中華意識を育んできた朝鮮王朝はアイデンティティー危機に直面することになってしまったのである。

朱子学がもたらした血縁ネットワーク社会

李氏朝鮮王朝を支えたのが、「両班（ヤンバン）」である。両班は王朝の「臣」すなわち官僚であり、最上層階級として当時の朝鮮社会を支配した。官僚を選ぶための国家試験「科挙」において問われるのは、ど

両班（20世紀初頭）

れほど深く儒教的教養を身に付けているかであるがゆえ、両班は官僚であると同時に文化人でもあった。李氏朝鮮王朝の国学は儒教の一派で原則を重んじる朱子学であったので、両班は大義名分にこだわり、時に現実離れした教条主義者と化して、見解の違いから激烈な派閥闘争を繰り広げた。ジャーナリスト・研究者として1960年代から80年代の韓国を報じた田中明は、日本の植民地から独立した韓国社会において両班は韓国支配階層の思考に依然として影響を与えていると述べている。田中は、韓国エリート層の「悠揚せまらぬ大人の風格」「おのれの倫理準則に頑として譲らぬ孤高の義士」に両班の面影を認めるとともに、「文を尊び武を卑しむ気風」「激しいイデオロギー闘争」「政敵との容赦ない闘い」「実務軽視」は近代国民国家建設にとってマイナス要因になったと指摘している。[6] 21世紀の韓国社会に、田中が言及する両班の面影を感じる人もいよう。

朝鮮王朝の屋台骨を支えた両班だが、その機能も時代とともに変化してきた。木村幹によれば、朝鮮王朝前期における全国支配の源泉となったのは、ソウルに住む在京両班と地方に住む両班の紐帯であったが、やがて在京両班の権力強大化と地方両班の没落、両者の紐帯の弱体化という現象が生じて、王朝は統治力を失っていく[7]。

地方両班が支配力を失っていったのは、市場経済の進展とあわせて、王朝が採用した儒教原理の厳密化にあると木村は指摘する[8]。すなわち地域共同体が組織力と団結力を維持するのに必要なのは、地縁と血縁のネットワークである。日本の村落共同体が強かったのは、地縁のなかに疑似的血縁関係を持ち込むことで村落の紐帯を形成することができたからだ。しかし朝鮮社会では、血縁を重んじる儒教（朱子学）が極めて厳格であるがゆえに、地縁関係に疑似的血縁関係を持ち込むことが許されなかった。したがって、その社会は血縁のみのネットワークが絡み合う社会で、地縁と血縁の重層的関係を築くことができなかった。在地両班の没落は、伝統的な朝鮮社会に存在した「身分」という上下の垣根を取り払った。

木村によれば、血縁ネットワークは、朝鮮を併合した日本が持ち込んだ資本主義において、急速に変化する社会で生き残るためのツールであった。農村から都市へ人口が移動し、都市化する韓国社会においても血縁ネットワークは残り続け現代韓国社会においても機能している。

民族史観の台頭

国の「ウチとソト」意識の曖昧性が消え、社会を分断する身分意識が弱まったことで、朝鮮／韓国社会に国民意識形成が進む可能性があった。１９１５年に朴殷植によって『韓国痛史』が発行され、従来の事大主義とは異なる、「半島住民の主体性を基本として歴史を構想する」[9]民族史観が登場する。

19世紀末、欧米列強や日本の圧迫を受け、国内的には農民反乱が発生し、混乱が続き危機に直面する朝鮮において、英語 nation を翻訳した「民族」という概念にいち早く注目し、身分・門閥を超えた統合を訴えたのは知識層であった。民族史観において、中国王朝や日本からの侵略に抵抗した人物が「民族の英雄」とされた。

民族史観学者の一人、崔南善は日本に留学し、日本の神道が日本民族アイデンティティーの根拠として用いられていることを学び、そこから朝鮮においても檀君神話を民族主体性確立の源として活用しようと考えた。朝貢・冊封体制においては、伝説の古代朝鮮王・檀君の存在は、中華の世界観と矛盾し抵触するものとして、儒者史家からは無視されるか、タブー扱いされる、せいぜい併記されるかで、積極的に国史において位置づけようとされてこなかった。崔は日本に残っていた、檀君神話の唯一の典拠『三国遺事』に解題を付して朝鮮社会に紹介したのである[10]。

伊藤亜人は、崔の議論から朝鮮の民族世界を古代までさかのぼって確立させようという試みを「小国意識を逆転した大朝鮮主義を見て取ることもできよう」と評している[11]。しかし、李氏朝鮮は日本に併合され、国民意識を土台とする国民国家の成立は、三・一運動等日本統治下での数々の独立運動を経て、日本植民地からの解放まで待たねばならなかった。

1945年の日本敗北、朝鮮半島の解放後、国民意識形成に思想的に影響を与えたのが、孫晋泰の『朝鮮民族史概論』である。孫は1927年に早稲田大学文学部を卒業し、東洋文庫に籍をおいて朝鮮の民俗を研究していた。1934年に日本植民地下の朝鮮に戻り、45年解放後ソウル大学教授及び官僚として新しい国家の設計に携わった。しかし50年に朝鮮戦争が勃発し、孫は北朝鮮に連行され60

年代に不遇のうちに死亡したとされ、彼が韓国の研究者として活動した期間はあまりに短い[12]。その短い活動期間中の48年に出版されたのが、彼の代表作『朝鮮民族史概論』である。

伊藤によれば、孫が自らの学説を「新民族主義」と称したのは、共産主義でもなければ、かつての王朝支配層のための歴史でもない、階級を超えた民族全体を主体とする国家建設を構想していたからであり、そうした観点から孫は「民族を発見した」と称する。「朝鮮史はすなわち朝鮮民族史であり、われわれは有史以来、同一の血族が同一の地域で同一の文化をもって共同の運命のもとに共同の民族闘争を無数に敢行しながら、共同の歴史生活をしてきて、異民族との混血は極めて少ない。それゆえに朝鮮において国民とはすなわち民族であり、民族史がすなわち国史となる[13]」と孫は述べる。日本の植民地支配から解放されたにもかかわらず、冷戦の始まりとともに再び東西対立の政治力学によって、孫が発見した「一つの民族」は再び引き裂かれて、やがて孫自身も朝鮮戦争の激動に飲み込まれる運命にあった。

ドラマに見る歴史の語られ方の変化

ここまで見てきた近世・近代の朝鮮／韓国社会の性格を大きく変えたのが、朴正熙軍事政権下で起きた高度経済成長である。朝鮮戦争直後は世界最貧国の一つであったが、60年代以降の高度経済成長の結果、90年代には先進国に仲間入りした。開発独裁、外資導入による社会経済開発によって、韓国は農耕から輸出志向型経済へと産業構造が変わり、農村から都市への人口移動、都市における中間層の拡大、都市部中間層による民主化運動の活発化といった変化が生じた。これら変化と並行する、教育制度の整備と学歴社会化、マスメディアの発達と全国的普及といった現象は、国民意識培養のツールを整えた。1970年に朴正煕大統領が始めたセマウル運動は、農村改革を意図した「上からの改革」政策で、生活環境改善・所得増大とともに精神の啓発をめざし、官民を総動員して空前の規模で進められた。伊藤亜人はセマウル運動を「韓国において住民がはじめて経験した本格的な国民形成の過程[14]」と評している。

朴正煕大統領

そして60～80年代の朴正煕・全斗煥・盧泰愚ら軍事政権の時代を経て、韓国は80年代末に民主化時代を迎える。おりしも世界は東西冷戦が終結し、第二次世界大戦後の国際秩序が変化するとともに、ICT技術の発展もあって、ヒト・モノ・カネ・情報が国境を越えて大量に移動するグローバリゼーションの幕が開けた時だった。グローバリゼーションは、今日の韓国の国民意識に少なからぬ影響を及ぼしている。

中間層が享受する消費文化、マスメディアの発達、グローバリゼーションが、韓国の国民意識に及ぼしている影響に関して、韓国歴史ドラマの変化を分析した朴順愛の論考[15]が興味深い。

朴順愛によれば、60～70年代に製作されたかつての韓国の歴史ドラマは、忠義孝烈の儒教イデオロギーを説く王朝ドラマが主流だった。90年代の歴史ドラマの素材として多く取り上げられたのは、李氏朝鮮王朝時代である。李氏朝鮮は、現代韓国の基盤になった時代と認識されていた[16]。韓国民にとって、歴史ドラマは自分たちの歴史を手軽に学ぶ教育の場だったのである。

21世紀に入って顕著な現象として、古代史への関心が高まり、これを素材とするドラマが増えた。その引き金となったのが、韓国ではなく中国の歴史研究である。2002年の中国の国家歴史研究プロジェクト「東北工程」と題する歴史研究は高句麗史、渤海史を中国の辺境史として位置づけており、「古代王国史を韓国の歴史から簒奪しようとする試み」という反発が韓国社会に広がったのだ[17]。2006年から07年にかけて高句麗や渤海を舞台とする歴史ドラマが続々と製作されて、韓国のテレビ史上初めての古代史ドラマブームが巻き起こった。明確な国境線をもつ国家、という西洋発の近代国家概念が、東アジアにおいて国民レベルで浸透していくなかで、韓国・中国・日本の各国民において領土意識、歴史意識が高まり、その認識の相違に端を発する対立がこの時期から過熱化してゆくのである。

また忠実な歴史考証に基づいたドラマではなく、史実に存在しない劇的な効果をねらったエピソードが多く含まれるようになった。宮廷料理や女性の活躍などに焦点があてられ、大胆な歴史の再解釈あるいは「伝統の創造」とでもいうべき作品が増え、「武俠史劇」「フュージョン史劇」「ファンタジー史劇」などの用語が生まれた。朴順愛によれば、歴史ドラマに登場する君主像も権力型君主（80・90年代）→英雄型君主（2000年代初頭）→スター型君主（2000年代半ば）へと変化してきている[18]。

文化産業振興戦略と広報文化外交

文化産業振興戦略と広報文化外交（パブリック・ディプロマシー）という二つの政策分野は、グローバリゼーション時代における韓国政府の自国像を考察する格好の場である。韓国政府は「あらまほしき韓国（自己）」をどのように捉え、それを海外に向かってどのように発信しているのだろうか。

1997年金融危機直後に発足した金大中政権が、それまで韓国の経済成長を牽引してきた重厚長大型産業育成戦略は壁に突き当たっているという認識に立って、従来と異なるアプローチとして文化産業、観光産業を育成する政策を開始した。強権体制時代の文化芸術に関する検閲や規制を廃止し、文化の自由な表現を保障する先進国型に転換した。98年2月組織改編により誕生した文化観光部は「創意的文化国家」を目標に掲げ、文化産業を国家の基幹産業とする政策を打ち出す。まず1999年2月文化産業振興基本法が制定された。同法が扱う「文化」の中身とは、かなり輸出を意識したもので、文化産業の範囲を「映画、音盤、ビデオゲーム、出版印刷物、定期刊行物、放送プログラム、キャラクター、アニメ、デザイン、伝統工芸品及びマルチメディアコンテンツ関連産業」と規定している。[19] 長期ビジョンと戦略に基づく「文化産業振興5か年計画」が2000年に、「コンテンツコリアビジョン21」が2001年に発表され、文化コンテンツ制作の基盤を強化する韓国文化コンテンツ振興院が2001年8月に創設された。こうした政策を実施し、文化産業を新成長産業として育成するため、2000年以降韓国政府は文化観光部予算に政府全体予算の1％以上を振りあてた。[20]

政策効果はすぐに現れた。韓国文化コンテンツ振興院が主催した2002年のデジタルコンテンツ及び放送コンテンツ国際展示会において、アニメ、放送など1200万ドルの商談が成立、3000万ドルの契約が商談中となった。またKBSのドラマ『冬のソナタ』が日本のNHKに輸出された。『冬のソナタ』は、韓国文化コンテンツ振興院がめざすグローバルな輸出で多様な収益をめざすOS

MU（One Source Multi Use）の成功事例で、放映権販売収入17億円に加えて、DVD、写真集など784億円の利益を日本であげた[21]。

文化産業のグローバルな成功に目をつけたのが外交当局である。韓国の広報文化外交は2000年代に入って活発化する。2008年外交部（外務省に相当）の柳明桓長官は国家ブランド強化により国際的影響力を増大させる「ソフトパワー外交」を打ち出し、2010年に就任した金星煥長官も企業・市民が外交に参加する複合外交を推進するためソフトパワーの強化を説いた。韓国外交部は2010年を「パブリック・ディプロマシー」推進元年と定め、担当大使を置いた[22]。

韓国政府の広報文化外交を包括的に担う韓国国際交流財団は、海外における韓国語教育及び韓国学の振興、文化芸術交流、人的・知的交流、出版・メディア普及などを担当している。

外交部と並んで海外における韓国文化発信を所管しているのが文化体育観光部で、海外における韓国語普及を担う世宗学堂事業を担当し、さらに傘下の海外文化広報院は19か国23か所の海外韓国文化院、30か国35か所の文化広報館を所管し、世界的に人気のあるK‐POPコンサートなど文化交流イベントを実施している[23]。

韓国の広報文化外交が海外に投影させようとしている韓国イメージについて、韓国国際交流財団の政策研究室長の金泰煥は「耕作モデル」と「中堅国パブリック・ディプロマシー」の2点を挙げている。

「耕作モデル」とは、畑に農民が種をまくように、全世界的人気の韓流ドラマやK‐POPなどの魅力で海外の韓国への関心を喚起し、韓国文化・知識・観光・技術などの分野で深化・持続させていくという国家ブランディング戦略である。

「中堅国パブリック・ディプロマシー」とは、東アジアの「小国」で大国に翻弄されながらも世界最貧国から経済先進国に躍進した韓国の歴史的経験が、開発途上国のモデルとなり、「強大国」と「弱小国」をつなぐ「中堅国」の役割を担いうるというのである。特に弱小国は強大国に支配される恐れを感じており、そうした弱小国の苦しみを経験した韓国の広報文化外交は、弱小国においては米国・中国・日本のような強大国の広報文化外交よりも比較優位性がある、という考え方である[24]。「中堅国パブリック・ディプロマシー」という自己規定は、かつて李氏朝鮮王朝が中国清朝に抱いていた劣等感と優越感が微妙に入り混じった「小国」自己イメージとどこか重なるところがあり、最新の外交戦略に韓国知識人の伝統的な自己認識の影を見出すこともできよう。

多民族国家としての可能性

近代以降、韓国は自らを、「古代から一つの民族」、「同じ一つの文化を共有する単一民族」、「単一民族社会を長きにわたって維持してきた」という自己認識に立ってきた。しかし、グローバリゼーション時代において、こうした認識を揺るがす根本的な変化が起きつつある。

韓国政府が世界に誇る韓国文化、と自負するK‐POPの成り立ちを考えてみよう。金成玟は、米国1980年代の「観る音楽」、日本型アイドルの影響、ブラックミュージックやヒップホップ文化の受容、J‐POPからの脱却、韓国型マネージメントの定着など、K‐POP誕生前史を描き、日米の大衆文化がK‐POPに与えた音楽的影響を描写することによって、K‐POPの混成文化的側面にスポットライトをあてている。[25]

Ｋ－ＰＯＰ成立の重要な要素は、国境を越えた人の移動である。国境を越えて移動する人が持ち込む文化が、韓国の新たなアイデンティティー形成要因となっているのだ。たとえば、米国在住の韓国系移民二世、三世や留学生が、90年代民主化された韓国に移り住み、彼らが持ち込んだ米国の音楽作りやマネージメント手法がＫ－ＰＯＰ誕生の重要な契機となったことを、金は指摘している。[26]さらに金は、Ｋ－ＰＯＰの重要な特徴として、「人的混淆」を挙げている。Ｋ－ＰＯＰグループのなかに「僑胞」（自国外に住む同胞。ここでは韓国以外のところで生活する韓国人）がメンバーとして加わっている例としてＨ.Ｏ.Ｔ.、少女時代などがあり、外国人メンバーがいる例として、ＥＸＯ、ＴＷＩＣＥなどをあげている。

加えてＫ－ＰＯＰ成立のもう一つの重要な要素は、世代交代である。高度経済成長によって出現した都市部の中間層家庭で生まれ、物心ついたときから米国や日本のポップカルチャーに慣れ親しんだ世代が成長し、彼らの音楽を作り始めた。Ｋ－ＰＯＰの出発点ともいえるソテジワアイドゥルが１９９２年にデビューし「韓国語ラップ」が世に出た時、旧世代の音楽評論家たちは酷評した。彼らの冷たい視線を尻目に、ソテジワアイドゥルを熱烈に支持したのが若者たちだった。[27]ヒップホップとロックが融合したサウンドに社会批判メッセージを盛り込んだソテジワアイドゥルの一曲「時代遺憾[28]」（１９９５）は歌詞が過激すぎるとして、事前検閲により収録禁止と歌詞の修正を命じられたが、彼らの支持者は猛反発して社会的論議となり、結局軍事政権から続いていた検閲制度は廃止された。世代交代が韓国社会を一歩前に進めたのである。

このようなＫ‐ＰＯＰの特徴は、21世紀韓国社会の根本的変化、すなわち自他とも均質性の高い単一民族国家と考えられてきた韓国が、世代交代とともに急速に多民族化の方向に進んでいることを象徴するものでもあるのだ。

韓国社会の多民族化について振り返ると、経済発展に伴う労働力不足を補うための外国人労働者の受け入れ、少子高齢化と農村過疎化から生じる農業後継者の嫁不足への対応として中国・東南アジアからの花嫁のあっせん、という二つの潮流から、韓国における外国籍住民の数は急増した。２０００年の21万人から２０１８年の２２５万人へと、約20年間で10倍以上に増えている[29]。人口比率では２０１８年時点で４・２％を占め、日本の２・09％（２０１９年元旦時点）と比べると、韓国は日本以上に多文化社会となっているのである。

２００６年に韓国政府は「外国人政策の基本方向及び推進体系」「多文化家庭の教育支援対策」などを矢継ぎ早に発表し、本格的な多文化政策に乗り出し、２００７年「在韓外国人処遇基本法」２００８年に「多文化家族支援法」などの法整備が行われた。また２０１１年の国籍法改正では、優秀な外国人人材を確保するために、韓国の国益に資する外国人等に二重国籍を認める変更がなされた。「多文化家族支援法」では、差別を予防し多文化家族の理解促進に向けた広報、多文化理解教育、多文化家族の構成員を対象とした生活情報提供、社会適応教育、職業訓練教育支援などが国や地方自治体に義務づけられており、同法に基づいてほとんどの自治体が「多文化家族支援センター」を設置している[30]。このセンターでは、韓国人男性と結婚した移住女性や家族を対象に、韓国語学習支援、生活相談、言語発達支援、育児・託児、パソコン教室、図書館などを提供する活動を行っている。外国にルーツをもつ子どもたちへの支援も、政府のみならず市民団体も含めて教育・文化など様々な活動を実施している。

そして、韓国社会のなかで活躍する外国出身の「新しい韓国人」が出始めている。その代表格が、国会議員の李ジャスミンである。フィリピン出身の彼女は18歳で韓国人と結婚して韓国に移住し、韓国国籍を取得した。韓国の外国人家庭を支援しながら、タレント活動をしていた彼女は、２０１２年総選挙で保守系「セヌリ党」から比例代表で立候補し当選した。韓国初の外国出身の国会議員誕生である。当選後「自分の国（フィリピン）へ帰れ」などの激しいバッシングを受けたが、「自分の国は韓国だ」「自分は韓国人になった外国出身者を代弁しろ、と国会に送られたのだ」と胸をはった[31]。彼女は、一般に内向き志向と考えられている保守党から立候補したことについて、多文化政策に保守もリベラルもなく、国全体が多文化政策に取り組まねばならないのだと主張している。彼女に続くように、外国出身者を母に持つ子どもたちが成長し、それまでの「多文化」という名の同化政策に異議を唱える動きも生まれつつある。

ここに、これまでの韓国社会になかった新たなタイプの韓国人が登場し、新たな国民意識形成の芽が出始めている。そして、日本社会も多民族化に向かうなかで、両国において生じている新潮流は日韓関係そのものを変えていく可能性を秘めている。

注

(1) 伊藤亜人「韓国朝鮮におけるナショナル・アイデンティティ」川田順造編『ナショナル・アイデンティティを問い直す』山川出版社、2017年、238頁。
(2) 木村幹『朝鮮/韓国ナショナリズムと「小国」意識:朝貢国から国民国家へ』ミネルヴァ書房、2000年。
(3) 同右、35~39頁。
(4) 同右、42~43頁。
(5) 同右、42頁。
(6) 田中明『韓国の民族意識と伝統』岩波現代文庫、2003年、14~16頁。
(7) 木村、前掲書、59~67頁。
(8) 同右、66~67頁。
(9) 伊藤、前掲書、246~247頁。
(10) 同右、248~249頁。
(11) 同右、249頁。
(12) 金廣植「新民族主義史学における古代史の展開:解放前後の孫晋泰の認識を中心として」http://yayoi.senri.ed.jp/research/re11/KKim.pdf(2019年11月22日アクセス)
(13) 伊藤、前掲書、249~250頁。
(14) 同右、262頁。
(15) 朴順愛「韓国歴史ドラマの特徴」谷川建司他編『コンテンツ化する東アジア:大衆文化/メディア/アイデンティティ』青弓社、2012年、26~46頁。
(16) 同右、27~28頁。
(17) 同右、33~35頁。
(18) 同右、28~30頁。
(19) 鄭榮蘭『日韓文化交流の現代史:グローバル化時代の文化政策:韓流と日流』早稲田大学出版部、2017年、

１０５頁。
(20)同右、１０２〜１０３頁。
(21)同右、１１５頁。
(22)金泰煥「韓国におけるパブリック・ディプロマシーの現況」北野充・金子将史編『パブリック・ディプロマシー戦略：イメージを競う国家間ゲームにいかに勝利するか』ＰＨＰ研究所、２０１４年、１１４〜１１５頁。
(23)同右、１１９〜１２０頁。
(24)同右、１２５〜１２６頁。
(25)金成玟『Ｋ-ＰＯＰ：新感覚のメディア』岩波新書、２０１８年、1〜54頁。
(26)同右、26〜27頁、44頁。
(27)同右、23〜24頁。
(28)同右、25頁。
(29)岩城あすか「韓国は外国人に門戸を開いた③「移住家族支援」https://webronza.asahi.com/politics/articles/2018070900011.html（２０１９年11月22日アクセス）、李善姫「韓国における『多文化主義』の背景と地域社会の対応」http://www.law.tohoku.ac.jp/gcoe/wp-content/uploads/2011/03/gemc_05_cate2_2.pdf（２０１９年11月22日アクセス）
(30)岩城、同右（２０１９年11月22日アクセス）
(31)ハフポスト、「フィリピン出身の韓国国会議員・李ジャスミンさん『多民族・韓国』をどう見るか」https://www.huffingtonpost.jp/2015/06/01/lee-jasmin-interview_n_7485600.html（２０１９年11月22日アクセス）

10章 モンゴル

騎馬民族ヒップホップが刻む体制転換のトラウマ

ロシア
ウランバートル
中国
モンゴル国
0
400km

モンゴルの概略

国土：156万平方キロ（日本の4倍）。広大な草原ステップが広がるが、西に3000〜4000メートル級の山岳、北に針葉樹林、南に砂漠もあり多様な自然が存在する。気温の年較差が大きく冬は極寒となる。

人口：323万人（2018年）。世界25位。首都ウランバートルに人口の46％の149万人が住む。

政治：共和制。大統領制と議員内閣制の併用。議会は国家大会議の一院制で任期は4年。社会主義時代はモンゴル人民革命党の一党独裁体制であったが、90年に民主化し、国民の直接選挙によって大統領と国家大会議議員を選ぶ。大統領は国家大会議の可決法案拒否権と首相指名権をもつ。

経済：2019年の名目GDP総額は139.9億ドル。一人当たりのGDPは、4245ドル（2019年）。2019年度の経済成長率5.2％。社会主義体制の崩壊以降、急激な市場経済の導入による混乱が続いたが2010年以降鉱業が発展し、2012年12％、2013年11％と2桁の経済成長を記録した(1)。国民の4％、11万人が海外に出稼ぎに出ており、彼らの送金がモンゴル経済にもたらす影響は大きい。日本は、モンゴル人の移民先第3位（1位韓国、2位ドイツ）(2)。

民族：モンゴル人95％、カザフ人4％等。モンゴル人が圧倒的多数であるが、そのなかでも多数派「ハルハ」の他に「ドゥルブド」「バヤド」「ブリヤート」など17の集団に分かれる(3)。

言語：モンゴル国憲法第8条はモンゴル語をモンゴル国の国家公用語に規定しているが、西部では学校教育をカザフ語で行うことを認める県もある。モンゴル語は、文法的には日本語に似ているが、文法以外の発音や単語は共通性が少ない。

宗教：社会主義時代は厳しい統制を受けていたが、1992年の新憲法は信教の自由を保障し宗教が再活性化した。モンゴル人はチベット仏教徒、カザフ人はイスラーム教徒であるが、シャーマニズムの急速な拡大、キリスト教福音派、キリスト教系及びイスラーム系新宗教の流入など、新しい現象も民主化以降目立つようになっている(4)。

類のない社会変容

本書でこれまで扱ってきたアジア各国の多くは、冷戦が終了した90年代初頭以降、「グローバリゼーションの時代」と呼ばれる30年間に大きな社会変容を経験してきた。しかし、その程度において、モンゴルほどの変容が生じた国は他にないだろう。

筆者がモンゴル国を訪問したのは、１９９５年８月である。２週間ほど中国の主要都市を回り中国社会にどっぷりと浸った後にモンゴルにやって来た。どこに行っても人で溢れ、物で溢れ喧噪に満ちている中国社会とは対照的に、人影まばらで地平線まで続く緑の草原。そして突如として現れる家畜群とこれを統制する騎馬の屈強な男たち。高校で学んだ農耕民族と騎馬民族が交錯する東アジア史の世界が目の前に拡がっていた。あの時は民主化・市場経済化が始まって5年で、ウランバートルといえども車やオフィスビルの数も日本や中国の大都会と比べたら慎ましいほど少なく、まだ体制転換の社会への影響はさほど大きくは感じられなかった。しかし、その後の25年間のモンゴル社会は加速的に変化を遂げ、これに伴って人々の心のあり様にも様々な潮流が渦巻いているようだ。本章ではモンゴル研究者や専門家の最新報告を参照しながら、文学・音楽などを題材に、遊牧民族の定住化という大きな社会変容を経験しつつあるモンゴル人の国民意識の今について語りたい。

遊牧騎馬民族の土地感覚

少年の頃から騎馬民族に憧れ大学でモンゴル語を専攻した作家、司馬遼太郎は、モンゴルの遊牧の民への愛着を語った『草原の記』の冒頭を、以下のような詩的な叙述から始めている。

空想につきあっていただきたい。

モンゴル高原が、天にちかいということについてである。そこは、空と草だけでできあがっている。人影はまばらで、そのくらしは天に棲んでいるとしかおもえない。

すくなくとも、はるか南の低地にひろがる黄河農耕文明のひとびとからみれば、おなじヒトの仲間とはおもえなかったろう。しかも、馬にじかに乗っている。騎乗して風のように駆け、満月のように弓をひきしぼり、走りながら矢を放つ。

——あれは、人ではない。

と、紀元前、黄河の農民はおもった。(5)


血縁・地縁の共同体を作って定住し、汗水流して水路をひらき土地を耕して、その恵みを糧として生きてきた中原の農耕民からすると、地平線の彼方から突如現れ略奪し礼節など歯牙にもかけない人々は文明の恩恵に浴さない野蛮な連中に見えたのだろう。彼らには「匈奴」というまがまがしい名称が付けられた。

しかしこれはあくまで農耕民族からの見方である。樹木が育たない厳しいモンゴルで生き延びるため、少数の家族単位で牧畜を営む民にとって、土地に鋤を入れることは表土流出を招き、草原の砂漠化につながる。久しぶりに元の牧草地に戻ってきたら、土地を占有し草原を狭める者がいる。これは遊牧民の生存圏の縮小を意味する。

モンゴル研究者の鯉渕真一は、牧畜民の伝統的な土地に対する思考方法を、以下のように解説する。

牧畜民にとっては、自分の遊牧する範囲、二、三十キロ四方、時には五十キロメートル四方が「自分の土地」ではあるが、ことさらそれに執着しないし、境界を定めることもない。そこには他人の家畜も自由に出入りするし、自分の家畜も「他人の土地」に入っていく。いわんや柵をめぐらすなんてことは考えもおよばない[6]。

本書の冒頭で述べた通り、近代主権国家、国民国家は国境線を引いてウチとソトを明確化し、内側で教育やメディアなどを通じて「国民意識」を培養する。さらに近代国家の基本原理は資本主義であり、資本主義の前提となるのは「土地を所有する」という概念である。しかし土地を占有するという意識が希薄なモンゴル遊牧民にとって、国家にとっての縄張りである「自国領土」という観念は定着しにくい。「他人の土地への移動は国境越えにまで及ぶ[7]」のである。このように農耕民族とは全く違った土地観念をもつ遊牧民族であるがゆえに、近代的な国民意識が形成されたのは20世紀に入ってからのことなのである。近代以前のモンゴル遊牧民においては、ネーションのみならずエスニックな感情も乏しく、せいぜい出身地に基づく同胞意識はあっても、「モンゴル」という国民意識は乏しかった。史上空前規模のモンゴル大帝国を築いたチンギス・ハーンの名は、近代以前のモンゴルの民のあいだではほとんど知られていなかった。文化人類学者の島村一平によれば、20世紀ソビエト連邦（ソ連）がチンギス・ハーン賛美を抑圧したことで、かえってその反作用としてモンゴルの庶民のあいだでチンギス・ハーンの名は浸透していったのだという[8]。

モンゴル国民意識の形成をたどる素材として、文学に焦点をあててみたい。まずモンゴルが近代国家をもつに至るまでの歴史を簡単になぞっておきたい。

1271年、チンギス・ハーンの孫フビライ・ハーンがモンゴル帝国の国号を「大元」と改め元王朝が成立した。フビライは1279年に南宋を滅ぼし広大な中国を統一支配する。

1368年に漢人王朝の明が興り元の首都であった大都（現在の北京）を攻撃すると、元の皇帝や彼の臣下のモンゴル人たちは一斉にモンゴルの草原に戻っていた。「元の北帰」と呼ばれ、史上最強と呼ばれたモンゴルの中国支配は百年足らずであっけなく終焉を迎えた。その後モンゴル人は分裂し、群雄割拠の状態となる。17世紀、中国東北部の満州人勢力が台頭し、清を建国して中国全土を支配する過程で、ゴビ砂漠の南側「内モンゴル」地域は清朝の支配下に組み込まれた。ゴビ砂漠の北側「外モンゴル」は一定の独立を保っていたが、清朝の強大化とともに18世紀半ばにはその支配下に置かれることになった。

他方、19世紀半ばから北方のロシア帝国がシベリアを支配し、南下政策をとるなか、危機感を抱く清朝は、それまで緩やかであったモンゴルの統治を、収奪的植民地政策へと転換していった。清とロシアという大国に挟撃されているという危機意識、清に対する不満が高まるなかで、自分の国を持たなかった20世紀初頭のモンゴル民族は次第に民族意識を抱くようになり、独立を模索するようになった。

1911年の辛亥革命が起きて清が滅亡すると、外モンゴルはラマ僧（活仏）ジェプツンダンバ8世（ボグド・ハーン）を推戴して独立を宣言して、ボグド・ハーン政権が誕生し、内モンゴルからこれに呼応しようという動きもあった。しかし中華民国とロシアはこれを認めず、外モンゴルの自治のみが認められた。その後、ロシア革命の勃発（1917年）、中国による自治取り消し・属領化（1919年）、ロシア帝国の白軍侵入・中国軍追い出し（1920年）と情勢はめまぐるしく動く。そしてソビエト革命政府と結んで、ロシア白軍と中国を排除し民族解放と独立を達成しようとする勢力がボグド・ハーンを復位させ、1921年にモンゴル人民党臨時政府を樹立する（この年が国際的にはモンゴル独立の年とされているが、モンゴル人は1911年12月29日の独立宣言をもってモンゴル独立と考えている）。1924年にボグド・ハーンが死去すると「モンゴル人民共和国」となり、この国はソ連に次いで世界で二番目の社会主義国となった。

ここに近代国家モンゴルが誕生し、以後1990年の民主化まで70年近い期間、この器のなかで「我らモンゴル人」という国民意識の培養が進められた。土地の占有意識・国境線意識を持たない遊牧騎馬民族モンゴルが、「国民国家」「国民意識」を血肉化させる上で、この社会主義体制70年間の持つ意味は非常に大きい。

なかでも国民意識形成を目的とする、教育政策の手段として言語と文学が果たした役割は重要である。たとえば、モンゴル現代文学を専攻する岡田和行によれば、1921年の独立革命当時、モンゴルの識字率は1～2％程度であった。それゆえに革命の理念や政策を普及するために、政府は伝統的な口承文芸の形式を踏襲した寸劇を盛んに用いた[9]。前近代から近代へ移行期にあって、口承文学という伝統的なツールを用いて、人民革命という近代の精神が語られたのである。

皆が同じ文字を読み、その内容を理解するということは、民衆に「我ら同胞」という一体感をもたせる上で多大な効果をもたらすであろう。それゆえに国民教育に基づく識字率の上昇は、国民意識の浸透度を測る上で一つの指標になりえよう。現在のモンゴルの識字率は98%で、ほとんどの国民が読み書きできるが、上記の通り建国時には１００人に１人か２人に過ぎなかった。識字率の向上において社会主義政権の功績は大きく、特に１９４１年にモンゴル文字を全面的に廃止して、キリル文字（ロシア文字）を導入する決定を下したのが大きかった。キリル文字の新しい正書法を作成し、公教育制度を整備した結果、識字率には20%（１９４０年）→42・３%（47年）→72・２%（56年）→90%（63年）とめざましい改善が見られ、70年代にはほぼ現在の１００%近い水準に達している。民主化後にモンゴル文字を復活させる決定が行われたが、すでにキリル文字はモンゴル社会に定着しており、モンゴル文字の全面復活とはならなかった(10)。

岡田和行は１９２０~30年代モンゴル近代文学草創期（それは近代国民国家の草創期でもある）の特徴を、伝統的なチベット仏教の虚妄批判、旧支配階級批判、革命理念の宣伝等、と社会主義色の濃いものであったことを示し、代表的な作家としてモンゴル近現代文学の父と呼ばれるダシドルジーン・ナツァグドルジを挙げている(11)。

彼が１９３０年に書いた短編小説「坊さんの涙」は、漢人の娼婦に耽溺して金品をだまし取られて僧籍さえも捨ててしまう僧侶の物語で、封建体制の堕落を描いたものとされるが、文化人類学者の西垣有はこの小説が描かれている空間に注目している。すなわち、西垣はこの小説から、移動式寺院が定住化し、そこが中国~モンゴル~ロシア間の交易都市となり、都市民が誕生するという都市ウランバートル形成とこれが孕む既存秩序の崩壊を見出すのである(12)。

つまり社会主義国家の建設に伴い、遊牧民族の定住化、都市化が進行していた。社会主義とは西洋近代が生んだ政治思想だ。この近代イデオロギーを奉じる政権の下、近代とは相容れぬ生き方をしてきた遊牧民が、政府の政策によって次第に定住化する傾向を強めつつあったのである。たとえば極寒の冬に備えて宿営地に防寒施設が建設され、こうした固定的な施設に依存することが、遊牧民の定着化を促した。１９９０年の民主化・市場経済化によって、モンゴル人は一足飛びに前近代から近代的な国民意識をもつように生まれ変わったのではなく、70年間の社会主義体制はじわじわと遊牧騎馬民族のアイデンティティーに近代を浸透させていた。

民主化・市場経済化の衝撃

とはいえ１９９０年以降の民主化・市場経済化の衝撃はすさまじかった。２０１４年のモンゴルにおいて、全人口のなかで遊牧民の占める比率は９・８％、全就業者中の29・４％という統計がある。[13]もはや我々が「モンゴル」という言葉から想起する遊牧騎馬民族のイメージは現実を反映するものではなく、遊牧を生活の糧とする人々は社会の少数派なのだ。

冷戦の終結に伴う国際関係の変化、社会主義体制の崩壊、ＩＣＴコミュニケーション技術の導入による情報環境の変化が、90年代に入って一挙にモンゴル社会に押し寄せた。

自由選挙、議会政治、複数政党制が導入され、これまで抑圧されてきた表現の自由が認められた。中央統制の計画経済は放棄され、国営企業は民営化され、国営の農牧業組合も解体され民営企業化されたが倒産する会社が続出した。

ゲル地区（Denny Walther 撮影、CC BY-SA 3.0）

遊牧国モンゴルにおいて土地は誰のものでもなく公有であったが、外国からの投資を呼び込むため外国投資法を制定し、土地を市場で自由に取引する「土地の私有化」を可能とする法整備が進められた。遊牧民の定住化、半定住化が進行し、遊牧民たちが集まってきたウランバートルの人口は90年当時57万人だったのが急速に拡大し今では150万人近くまでに達し、モンゴル一国の人口の半数近くがこの都市に住むという極端な一極集中現象が起きている。高級アパートが立ち並ぶようになった反面、大気汚染、「ゲル地区」というゲットー、渋滞、犯罪の蔓延などの問題が深刻化している。

冷戦によって遮断されてきた欧米世界の情報が流れ込み、外国からの投資も急増し、ウランバートルではロシア人のみならず米国人、ドイツ人、日本人、韓国人、中国人等外国人の姿を見かけるのは普通になった。韓国、ドイツ、日本、米国など海外に出稼ぎに出るモンゴル人も増え、国民の４％程度が海外で稼ぎ家族に送金している。[14] この海外からの送金がモンゴル経済にもたらす影響は少なからぬものがある。海外出稼ぎの最大の成功物語は、日本の大相撲で横綱や大関となることだ。横綱白鵬らの活躍はモンゴル社会でも報道され、彼らの民族的自尊心をくすぐる。

社会主義体制が消えたことにより、モンゴルは自由を手に入れたが、同時に社会格差も顕在化し、伝統な遊牧民の暮らしは根底から揺さぶられている。そうした社会の大転換の時代に、新たなモンゴルの文化として登場してきたのがヒップホップである。

ヒップホップの登場

現代モンゴルのヒップホップ人気に注目する研究も出始めており、ここでは島村一平、グレゴリー・デラプラス、ピーター・マーシュの論考を参照しながら、ヒップホップという音楽形態にモンゴルの国民意識が、いかに表出されているのかを見ていきたい[15]。

モンゴルでヒップホップが大人気、と書くと、モンゴルが自由化され流れ込んできた米国のポップカルチャーに魅了された若者が米国文化をコピーしているというイメージを抱きがちだが、前述の研究者たちが指摘するのはヒップホップがモンゴルで独自の進化を遂げ、体制転換の時代を生きるモンゴルの若者たちのアイデンティティーの模索を巧みに表現しているという点である。モンゴルのヒップホップとは、「青年層が自らの世代を規定し、過去の世代との違いを主張する手段・メディア[16]」（マーシュ）、「今日のウランバートルでモンゴル人であることを表現する多面的なディスコース」（デラプラス）、「（引用者注：匿名的かつトランスナショナルな公共空間としての）ストリートからの叫び声」（島村）である。

ヒップホップがモンゴルで注目を集め始めるのは90年代後半であるが、その前史がある。社会主義時代、伝統的な遊牧民族の文化は「文化的」でないとされ、近代国家の文化の手本とされたのはソ連（ロシア）の音楽、演劇、ダンス、絵画、サーカス、などの官製文化である。モンゴルに伝えられたロシアのポピュラー音楽は「エストラード音楽」と呼ばれ、１９４５年には国家エストラード・コンサート局が設立され、60年代には政府・党の監督下で大きなコンサートが開催されるようになった[17]。エストラード音楽は80年代モンゴル国民にとって身近な文化となっていたが、そのなかで若者たちが必ずしも政府や党の方針にはそぐわない民族感情や批判精神を含んだ楽曲を創り始めていた。「鐘の響き」というロック風の曲は、民衆に新しい一日の曙とともに目覚めよというメッセージを発信し、89年から始まった民主化運動ではこの歌が盛んに歌われた[18]。

そして90年の民主化は、モンゴルのポップカルチャーの社会環境を劇的に変化させた。突如として政府の規制が解かれ自由な表現と市場化が認められたことで、民間のメディア、放送局が設立された。複数の民間テレビ、ラジオ局が視聴者獲得を競い、90年代半ばには衛星放送、ケーブルテレビもモンゴルで放送を開始し、若者たちは米国発祥の音楽専門チャンネルＭＴＶ、ＭＴＶアジアに夢中になった。外の情報から遮断され、世界の僻地ともいえる環境に置かれていたモンゴルの若者は、同国史上はじめて世界のポップカルチャーに直接触れる機会を獲得したのである[19]。こうした音楽環境の変化を吸収して90年代後半に登場したヒップホップには、２０００年代に入って続々と人気グループが登場し、モンゴルのヒップホップ人気は社会に拡がりを見せる。「デジタル」「ルミノ」「アイストップ」「ダイン・バ・エンフ（戦争と平和）」「タタール」といった面々である。

体制転換を生きる若者の心情

上から統制されたエストラード音楽が予定調和的な社会の団結といった「きれいごと」をテーマにしていたのに対して、モンゴルの音楽シーンに新たに現れたヒップホップはストレートにモンゴル社会の暗部を露わにした。島村一平は零落した遊牧民が流れ込むウランバートルのゲットー、ゲル地区をヒップホップの揺籃の地と呼ぶ[20]。ゲル地区で育った、ヒップホップの帝王ギーがラップで描写するゲル地区住民の叫びに耳を澄ませてみよう。

（インターネット検索サイトに「Live from UB　Gee　G Horoolol」と入力）

洋服じゃなくて知恵でおしゃれをする俺たちのことをおまえらは理解できるか？
泥棒だって誰が隣人かは知っている。泥棒だって人情があるのさ
戦争映画じゃねえが、俺たちの現実の暮らしの中で、経験したこともいっぱいある
俺たち日焼けした者たちの地区に招かれずに行って、あわてんなよ。
木の板の塀で囲われた細い通り道で拳を握って見張っているぞ。

（ギー“G-Horoolol”より、島村一平訳[21]）

さらにヒップホップは、格差が拡がるモンゴル社会の指導的立場にある大人たちの偽善に対して若者の怒りをぶつける。人気グループ、アイストップがヒットさせた「76」という曲名の数字は、国会議員の定員数を意味する。

（インターネット検索サイトに「IceTop 76」と入力）

国民は見ているぞ、おまえらが、議論して、議論して、私利私欲のために利権を分け合って解散していくことを。きっと安心して家に帰っているだろうな。76人が、こんなふうなら、モンゴル国は滅びるぞ。

（IceTop〝76〟より、島村一平訳[22]）

これらの歌詞を並べると、モンゴルのヒップホップはかなり戦闘的な対抗カルチャーであるかのように感じるが、島村によれば必ずしもそうとはいえず政党の宣伝活動に登場したり時に積極的にヒップホップの側から体制に近づいたりしている現実もある。さらにヒップホップ・ミュージシャンの出身階層を見てみると、中上流階級も多く、現代モンゴルにおいてヒップホップは体制への異議申し立てというよりも、自由の象徴として理解されている[23]。

ヒップホップが孕むナショナリズム、排外感情

オーストラリア人監督が撮ったドキュメンタリー映画「モンゴリアン・ブリング」の冒頭で「ヒップホップの発祥地は、モンゴルなんだよ」と男性が誇らしげに語る。彼は実は口承文芸の語り部である。

研究者たちは、モンゴルにおいてヒップホップが受け入れられる背景に、豊かな伝統口承文芸の存

在を指摘する。[24] モンゴル遊牧民は家畜に声をかけることで管理する生活様式を有し、それから派生して生活のあらゆる場面で「まじない言葉」や「祝い言葉」を使用してきた。[25] 近代以前に発達した口承文芸は独特の抑揚、リズムを有し、人間と家畜の原初的なレベルのコミュニケーション手段である。このような口承文芸の伝統が存在するゆえに、米国のアフリカ系民衆から生まれ、独特の抑揚、リズムをもつヒップホップが、モンゴル国民のハートをくすぐり、民族感情を刺激するのかもしれない。

反体制的なサブカルチャーが、「周縁」であるモンゴルにおいては逆説的にナショナリスティックな傾向を帯びることを島村は指摘している。ソ連を盟主とする社会主義体制においてモンゴル民族主義は封建主義の源と否定され、チンギス・ハーンを賛美することは抑えられてきた。それゆえに、民族主義的な感情を前面に出し、チンギス・ハーンを声高に語ることは、手に入れた自由の証でもある。前述のアイストップの国会議員批判曲「76」も政治家批判であると同時に、下からのナショナリズムという要素も含まれている。「76」には、「この血はモンゴルの血、はるか昔に始まった、有名なハルハの血、勇敢で力強い」[26] という純血主義的なナショナリズムを感じさせる表現が含まれている。

同じくアイストップの「いいかげんしろ、ホジャーども」も、反中国人感情を露わにした排外主義的なラップだ。

人間の倫理を学んで大人になったモンゴル人が、
ゴミのようなホジャーたちに、こんなふうに辱められるなんて！
中国人たちを呼べ！　呼べ！　呼べ！

やつらをみんな、撃ち殺せ！　撃ち殺せ！　撃ち殺せ！

（島村一平訳[27]）

外国人や外国人と交際するモンゴル人を攻撃する暴力的な民族主義グループとして、汎モンゴル主義の「ダヤル・モンゴル」「ツァガーン・ハス（白カギ十字）」「フフ・モンゴル（蒼きモンゴル）」が存在する。ネオナチ・グループとして国際的に警戒される彼らはモンゴル民族の優秀性を説き、モンゴルを脅かす外国、特に中国への敵愾心を露わにしている[28]。こうしたモンゴル人の反中国感情は、古代からの騎馬民族のモンゴル国家と農耕民族の漢人国家の興亡という歴史的な要素よりも、社会主義時代の中ソ対立からソ連に頼るモンゴル指導部による教化に起因している。その根底にあるのは大国によって独立自尊の精神を翻弄されてきたモンゴル国民の被害者意識である。

グローバリゼーションによって、国境を越えて人や文化が動き新たな融合や混成が生まれる反面、それに反発するベクトルも強まっているのが世界の現状である。モンゴルの新たな国民文化ヒップホップのなかにも、そうした相反する力のせめぎ合いが見て取れるのである[29]。

注

（1）ジェトロ海外調査部「モンゴル概況」（更新日：２０２０年８月27日）https://www.jetro.go.jp/ext_images/world/asia/mn/data/mn_202008.pdf　（２０２１年2月14日アクセス）

（2）前川愛「出稼ぎ：外国で働くモンゴル人」小長谷有紀・前川愛編『現代モンゴルを知るための50章』明石書店、２０１４年、２１４～２１５頁。
（3）バトトルガ・スヘーギーン・石井祥子・稲村哲也「モンゴル西部の少数民族カザフとエスニシティ」石井祥子・鈴木康弘・稲村哲也編『草原と都市　変わりゆくモンゴル』風媒社、２０１５年、55頁。
（4）島村一平「シャーマニズムの新世紀：感染症のようにシャーマンが増え続けている理由」小長谷・前川編、前掲書、２８０～２８５頁。瀧澤克彦「新たな宗教現象：キリスト教福音派を中心に」同右、２８６～２９０頁。
（5）司馬遼太郎『草原の記』新潮文庫、１９９５年、７～８頁。
（6）鯉渕信一『騎馬の心：モンゴルの草原から』ＮＨＫブックス、１９９２年、50～51頁。
（7）同右。鯉渕によれば、モンゴル政府は中国との間で異常気象などの時に国境を越えて家畜を移動させる相互協定を結び、この協定は両国関係が断絶状態にある時でも破棄されなかった。
（8）島村一平「社会主義が生み出した『民族の英雄』：チンギス・ハーン」小長谷・前川編、前掲書、36～38頁。
（9）岡田和行「モンゴル人民革命以降の文学：第二次世界大戦まで」国際交流基金アジアセンター『アジア理解講座１９９７年度第１期「モンゴル文学を味わう」報告書』国際交流基金アジアセンター、１９９９年、70頁。
（10）岡田和行「モンゴル文字の背景」同右、19～20頁。
（11）岡田、前掲「モンゴル人民革命以降の文学」同右、71頁。
（12）西垣有「ポスト社会主義のストリート：モンゴル・ウランバートル市における都市空間の再編」関根康正編『ストリートの人類学』下巻、国立民族学博物館報告書81、２００９年、４１０～４１１頁。
（13）栗林純夫・バトゥール・バヤンフ「モンゴルの地域経済動向：内モンゴル自治区・東北3省・新疆ウイグル自治区との比較」『日本とモンゴル』第50巻第2号、２０１６年、46頁。
（14）前川愛「出稼ぎ：外国で働くモンゴル人たち」小長谷・前川編、前掲書、２１４～２１５頁。
（15）島村一平「ハイカルチャー化するサブカルチャー？：ポスト社会主義モンゴルにおけるポピュラー音楽とストリート文化」関根編、前掲書、４３１～４６１頁。グレゴリー・デラプラス「ヒップ・ホップ事情：歌詞に表現された倫理と美学」小長谷・前川編、前掲書、２９６～３０２頁。Peter K. Marsh “Global Hip-Hop and Youth Cultural

"Politics in Urban Mongolia" in *Mongolian Culture and Society in the Age of Globalization*, ed. Henry G. Schwarz (Western Washington University, Washington, 2006), pp.127-160.

（16）*Ibid.*, p.157. デラプラス、前掲書、２９６頁。島村、前掲書、４５６頁。

（17）島村、前掲書、４４３～４４５頁。

（18）Marsh, *op.cit.*, pp.130-131.

（19）*Ibid.*, pp.132-133.

（20）島村一平「ヒップホップ・モンゴリア、あるいは世界の周縁で貧富の格差を叫ぶということ」シノドス『αシノドス』https://synodos.jp/culture/21775/（２０１９年12月５日アクセス）

（21）島村、前掲「ヒップホップ・モンゴリア」。

（22）島村、前掲「ヒップホップ・モンゴリア」。

（23）島村、前掲書「ハイカルチャー化するサブカルチャー？」４４１～４４３頁。

（24）島村、前掲「ヒップホップ・モンゴリア」。

（25）上村明「モンゴル口承文芸（１）：生活に密着した口頭伝承と韻文」前掲書『「モンゴル文学を味わう」報告書』、39～45頁。

（26）デラプラス、前掲、３０１頁。

（27）島村、前掲書「ハイカルチャー化するサブカルチャー？」４４８頁。

（28）前川愛「ナショナリズムの変遷：被害意識の表出」小長谷・前川編、前掲書、１７４頁。

（29）モンゴルのヒップホップに関する最新書として、島村一平『ヒップホップ・モンゴリア：韻がつむぐ人類学』青土社、２０２１年。

11章 ベトナム

「南の中華帝国」からグローバル移民ネットワーク国家へ

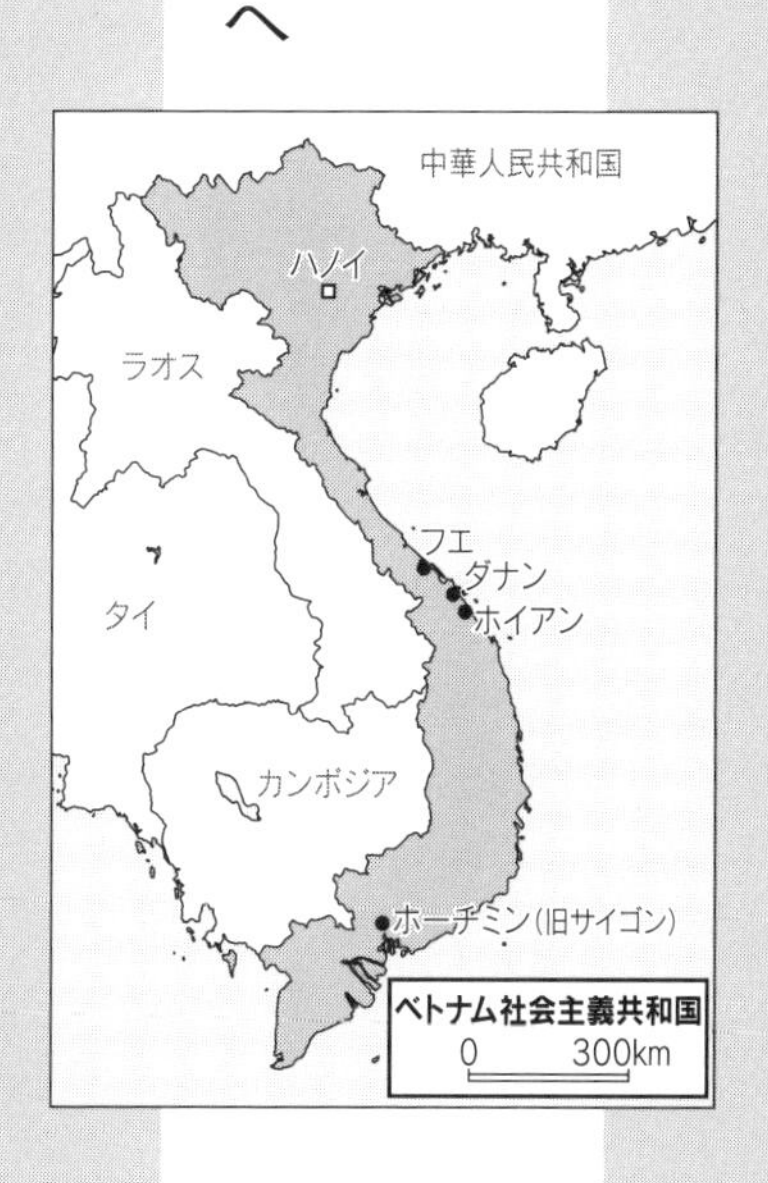

ベトナムの概略

国土：32.9万平方キロ（日本の全面積から九州と秋田県を除いた広さ）。南北に細長く、南北距離は1650キロ、東西幅の最も狭い箇所は50キロしかない。日本同様に山が多く、国土の4分の3が山岳・高原地帯。北部に紅河デルタ、南部にメコンデルタが形成され、豊かな穀倉地域となっている。気候も南北で大きく異なり、北部は冬寒い。

人口：9467万人（2018年）。アセアンではインドネシア、フィリピンに次いで3位。まもなく1億人に達する。他方、人口の平均年齢は2015年30.4歳であるが、2025年34.8歳に達し、出生率も2025年には1.9%と2割を切ると予想され、徐々に高齢化が進んでいる[(1)]。最大都市はホーチミン市859万人、次いで首都ハノイ752万人（ベトナム政府統計局、2018年）。

政治：社会主義共和国。国家元首は国家主席（共産党書記長）。国家主席、共産党書記長、首相、国会議長を中心とする集団指導体制をとっている。1986年の党大会で採択された市場経済導入と対外開放を柱とするドイモイ（改革）政策を堅持している。

経済：2018年の名目GDP総額は2372億米ドル。一人当たりのGDPは2387ドル（2018年）。政府は労働力輸出に力を入れており、毎年10万人以上のベトナム人が海外で就業している。越僑からの本国送金は2018年には159億米ドルに達し、ベトナム経済に与える影響は大きい[(2)]。中間層の比率は2000年10.4%から2017年38.1%と4倍近く拡大した[(3)]。

民族：キン人[(4)]87%、それ以外に国家が公認する53の少数民族13%。

言語：事実上の公用語はベトナム語。ベトナム語は中国語と漢字から強い影響を受けている。憲法は54民族の言語権を保障しており、少数民族はベトナム語及び各民族言語を学ぶ二言語教育を受ける。

宗教：仏教（儒教・道教なども混淆）80%、カソリック10%、カオダイ教、ホアハオ教他。宗教を規制する社会主義的政策をドイモイ以来徐々に転換し、信教の自由を保障する宗教信仰自由法が2018年1月から施行されている。

「ベトナム」という国の形成

ベトナムはアセアン加盟国であり、通常東南アジアの一国と分類される。しかし国の成り立ちや社会文化面から考えると、北部ベトナムは特に中国との関係が深く、近代以前に存在した中華世界という文明圏の枠組みで考えた方がベトナム人のアイデンティティー形成をより鮮明に浮き彫りにできると考えたので、本書においては東アジアの一国として扱っている。

「ベトナム」という国名そのものが、中国と深く関わっている。1802年にベトナム全土を統一したグエン朝（阮朝）の嘉隆帝は、東アジアの国際秩序であった朝貢・冊封制度にのっとり、清の皇帝に使節を送り国号を「南越（ナム・ベト）」とするよう許しを請うた。しかし「南越」は古代において中国皇帝に反旗を翻し手こずらせた勢力が名乗った国名であり、清朝はこれを嫌った。「南越」を取り下げ、「越南（ベト・ナム）」として、やっと了解を得たのである。このように国名の由来そのものが、ベトナムと中国の複雑な関係性を示している。

ベトナムは英雄ゴ・クエン（呉権）が唐代末の938年に中国勢力を駆逐して、「千年に及ぶ中国の支配を脱し独立した」とされる。このような語りからは、紀元前111年漢帝国が南越国を滅ぼす以前の時代に、「ベトナム人」という民族が存在し自らの国を持っていたかのような歴史認識を抱いてしまうのだが、果たしてそうか。

そもそも南越国を建国したのは、中国秦の始皇帝によって派遣された軍人である。彼が皇帝に反逆して作った国が南越国である。その版図はベトナム北部のみならず広州など中国南部一帯に広がっていた。このような国をベトナム国家と考えるか否かは、研究者のあいだでも意見の分かれるところだ。

中国の史書によれば、ベトナム人は中国南部から移住した民族だとされる。古代中国の越国の住民が紀元前333年に楚に滅ぼされた後に南部に逃げ、その一つの集団が北部ベトナムに定住し、今日のベトナム人の祖先になったのだという。ベトナム人が信じる、ベトナム建国伝説によれば、建国の王といわれるフン・ヴォン（雄王）の祖先をたどると中国の農業の神、炎帝神農にさかのぼる。[5]

このように古代において中国とベトナムの違いは未分化で区別することは難しい。今日のベトナム北部は10世紀まで、千年に及ぶ歴代中国王朝の支配下にあったのだが、中華文明の影響が薄まる辺境地域ということもあって、この地域の人々は次第に独自性を磨いていった。

そしてゴ・クエンの短い治世の後、ディン・ボ・リン（丁部領）が中国に依存する勢力を一掃して支配権を確立し、続いてリ・コン・ウアン（李公蘊）がベトナム北部初めての長期政権であるリ王朝（李朝）を1009年に開き、独自の国造りを本格化し、中国とは違う「ベトナム」の歴史を歩み始めたのである。リ王朝は214年間続いて、1223年に滅び、チャン王朝（陳朝）の時代となる。チャン王朝は1400年外戚に国を奪われ、再興を図ったジャン・ディン帝、チュン・クアン帝も処刑されて、チャン王朝（後陳朝）は明によって1413年に滅ぼされる。しかしリ朝・チャン朝時代は、ベトナムが政治・経済・社会の各方面で大いに発展を遂げた時代とされる。

中国王朝とベトナムの複雑な関係

リ王朝はベトナム史上はじめて中央集権的な国家体制造りを進めた政権であるが、国造りのモデルとしたのが中華文明である。1075年に科挙制度を導入した。この制度は、その後中国が科挙制度を廃止した後も維持され、1919年まで存続した。ベトナムが世界で最後に科挙制度をやめた国となる。国中から有能な若者を集め、宮廷官僚を養成した。

ベトナム最古の大学は国子監といわれ、その始まりは1076年で現在のハノイに建立されたという。1070年に孔子を祀った文廟が現在のハノイに建立されたという史書の記述があるが、リ王朝の支配的な思想は仏教で、仏僧は学者として僧侶と官僚の子弟の教育に携わった。チャン王朝になり儒教が次第に影響力を増し、後のレ王朝において儒教は国家の指導理念としての座を獲得した。道教は民衆レベルで高い関心を集め、土着の信仰と習合して拡がっていった。支配層はこうした民間信仰を巧みに支配に利用した[6]。

文廟（Chuoibk 撮影、CC BY-SA 3.0）

ベトナムが独自の国造りを始めたリ王朝以降も、ベトナムは度々中国王朝の侵略を受けた。宰相王安石の「ベトナム奪うべし」の進言を受けた宋の皇帝神宗はベトナム侵攻を計画した。この情報を得たベトナムの将軍リ・トン・キエトが、宋に先制攻撃をかけ、逆襲に出た宋の水軍を徹底的に叩いたのが1075年である。

その宋を滅ぼした元が、1257年にチャン王朝のベトナムに侵攻し首都を占拠した。暑さと食糧不足から一度撤退した元軍が、1284年と1287年に再び攻め寄せてきた。ベトナム側は首都を放棄しながらゲリラ戦で粘り強く戦い、元軍を押し返すことに成功した。

最大の危機は、1406年明王朝の80万を超える大軍が襲来し、翌年の決戦でベトナム側が大敗し明軍がベトナムを占領した時である。ベトナム北部は明の支配を受け独立を一時失ってしまう。明はベトナムの伝統、文化を捨てさせて、明の文化を押しつけ、重税を課す。1418年に地方豪族のレ・ロイ（黎利）が蜂起し、10年に及ぶ戦闘の末、明軍を破り、1428年にレ王朝（黎朝）を開き、皇帝に即位した。

さらに国内の南北対立が続いた18世紀、混乱に乗じて侵入した清の軍隊を、グエン・フエが1788年に追い返し独立を保った。

以上のような中国王朝の度重なる侵攻のなかで、ベトナムは民族意識を高めていった。明から独立を取り戻した英雄レ・ロイの側近にして、戦略家・思想家・詩人でもあったグエン・チャイはレ・ロイへの書簡で「敵の城を征服するよりもこころを征服した方がよい」と述べた。今日の言葉でいうならば、ハードパワーのみならずソフトパワーを重視したグエン・チャイはベトナムの民衆の心をつかむため「明を撃破して国民に告げる書」という長文の詩を書いている。強大な北方の超大国である中華帝国への対抗意識のなかで、ベトナム人であることの自尊心が形成されてきたことをうかがわせる。

わが祖国大越は祖先から受け継いだ文化がはぐくまれた土地
わが山河は、わが風習は
北国とは異なり

趙、ディン、リ、チャン王朝は我らの独立を成し遂げ
漢、唐、宋、元と対等に立ち
栄枯盛衰の歴史を歩んだが、
英雄数多く輩出せり

（小倉貞男訳[7]。「北国」は中国のこと）

このようなベトナム人の民族意識は端倪すべからざるところがあり、勝利に酔うことなく、リアリズムに徹した政治的判断力を、歴史の随所で中国に対して見せている。たとえば明軍との戦闘に勝利したレ・ロイは、明の大軍の帰還の無事を保障し、丁重な扱いをとった。またベトナムの王朝の権力者は、「王」ではなく、中国の皇帝に張り合うように「皇帝」を自称しつつ、中華王朝の朝貢・冊封体制を認め、朝貢使節を明に送り出し、礼を尽くすことを忘れなかった。現代においても中国に対する警戒心は強いが、全方位外交をとっている。

またベトナム史は「北属南進」の歴史と呼ばれる。ベトナムは北の中国のみならず南の敵対勢力からも度々侵略を受けた。インド文明の影響が濃いチャンパやカンボジアなどの王国である。紅河デルタにあって誕生したベトナムは次第に国力を増強し、南北から挟撃を受ける状況を変えようと次第に南へと版図を拡げていった。この動きはチャンパ勢力が衰える15世紀以降に本格化し、16世紀に入ると中部で勢力を伸ばしたグエン氏が、中部や南部のチャンパやカンボジア勢力を併合あるいは駆逐し、版図を拡大させていった。1802年にグエン・フック・アイン（阮福暎）がついに現在のベトナムとほぼ同じ領域を統一し、嘉隆帝と名乗って即位して、ベトナム最後の王朝となるグエン朝を開くこ

ととなった。

現在のベトナム国家建国の父であるホー・チ・ミンは、遺書に自分の遺灰を北部・中部・南部三つの地域に分けて埋めるように書いた[8]。ベトナムは三つの地域によって構成されるという現代ベトナム人の地方感覚は、こうした歴史の結果生まれたものである。

近代以前の社会帰属意識

儒教が支配思想の中心に置かれ、さらに仏教や道教を活用しつつ、科挙制度に基づく官僚養成を進めた前近代ベトナムは中国のコピー国家とみられがちである。しかしジャーナリスト・ベトナム研究者の小倉貞男は、ベトナムには分散型国家体制があり、中央支配が村落まで及んでいない等複雑な国家形成過程を指摘し、ベトナムが中国モデルを単純にまねたといえないと述べている[9]。

戦争を報道する新聞社特派員としてサイゴン（現在のホーチミン市）入りし、以来生涯に渡ってベトナム各地を歩きベトナムの庶民と触れ合ってきた小倉は、ベトナム社会の独自性を「ラン」と呼ばれる伝統的な村落共同体に見出している。「ラン」とは紅河デルタ地帯において古代から発達してきた地縁、血縁、年齢、職業等様々な要素で結ばれる小さな村落共同体で、近代国家の行政単位とは異なる。土地はすべて村の公有で、家族単位で耕作地が分配される。「ジャップ」と呼ばれる年齢ごとの組織もあり、そのなかで平等に様々な役割を担う。稲作社会において重要な堤防造りなど水利管理も、「ラン」の共同作業で行われる。「ラン」をとりまとめ、指導するのは「ホイドンキムック」と呼ばれる長老たちの評議会である。村内で尊敬される年配者たちが寄り合い、村の慣習を伝承し、掟を定めてきた[10]。

「皇帝の掟も村の垣根まで」ということわざがベトナムにある。小倉がベトナム人に「あなたの『くに』はどこですか」と聞くと、「ベトナム」という答えではなく「〇〇（ラン＝むら）」という答えが返ってきたという。

このような「ラン」へのベトナム人の思い入れは、近代国民国家の国民意識とは異なる帰属意識である。近代的な「村」の行政単位は「サ」（社）と呼ばれ村長は「社長」と呼ばれている。古代から続く「ラン」も時代とともに変容し、15世紀以降土地の私有化が進み、村の公有地が皇帝の土地となるなどの変化が生じ[11]、近代化したベトナムにおいて「ラン」は消えてしまったと考えられている。しかし1980年代から90年代にかけて農村をめぐって回った小倉は、「ラン」は裏側で今も生きており、表の村の権力者である「社長」とは別に、裏の権力者である長老評議会の議長が現代の村社会においても「必ずいる」と書き残している[12]。

近代ベトナムの国民意識の形成

1802年のグエン朝嘉隆帝による全国統一は、フランス等外国勢力の支援抜きには困難だったであろう。外国勢力と組むという禁じ手を使ったグエン朝は、その後グエン朝への協力姿勢を捨てたフランスの圧倒的な軍事力の前になす術なく、ベトナムは再び独立を失うことになる。

1858年フランス軍艦がダナン、サイゴンを占領したのが、フランスのベトナム植民地化への第一歩だった。1862年には第一次サイゴン条約によって、鎖国政策をとってきたグエン朝はコーチシナ3省のフランスへの割譲、開港、キリスト教布教の許可を余儀なくされる。さらにフランスの侵略は進み国土は切り取られ、ついに1884年ベトナムはフランスの保護国になることを認めさせられ、ハムギ帝は捕まり、アルジェリアに追放されてしまった。フランスはベトナム、ラオス、カンボジアを統治するためインドシナ総督府を置き、第二次世界大戦直前の日本軍進駐まで過酷な植民地支配を続けた。

第二次世界大戦終結直後の1945年9月にベトナムは独立を宣言するが、ベトナムに戻ってきたフランスによる植民地支配が復活した。米ソ冷戦下ベトナムは南北に分断され、フランスに代わってベトナムに介入した米国との戦争を経て、1975年に戦争が終結するまで長い動乱の時代が続いた。

フランスの植民地となったことで、ベトナムは長らく組み込まれてきた中華文明から切り離され、西洋を起点とする近代世界のなかに入っていく。保護国化された後も散発的に植民地支配に対する反乱は発生したが、近代兵器を有するフランスによって鎮圧される。挫折を繰り返すなかで、反乱者たちの怒りはフランスのみならず、植民地下でも温存されたグエン王朝や旧封建体制支配層にも向けられた。そして近代文明を学び、力を付けるなかで民族主義に基づく独立運動を進め、自分たちの国を造ろうという主張が、青年知識層からわきあがってきた。その代表格がファン・ボイ・チャウ（潘佩珠）である。

1904年グエン朝の皇族を頭に抱き「革命運動」を組織した彼は、日清戦争、日露戦争に勝利し、近代国家としてアジアで台頭した日本に注目し、ベトナム民族運動への武器支援を求めて日本にやってきた。そこで中国から亡命していた梁啓超や、梁の紹介により犬養毅、大隈重信らと知り合

ファン・ボイ・チャウ

う。「フランスとの関係から武器支援は困難」「まずは人材を育成し実力を蓄えることが重要」と犬養はファンに説き、ファンはベトナム青年たちに日本留学を呼びかけた。20世紀初頭、ベトナムで発生した初めての日本留学ブーム「東遊（ドンズー）運動」である。しかしフランスの横やりによって「東遊運動」はつぶされ、ファン・ボイ・チャウは失意のうちに日本を去る。

　この時代にあって、ファン・ボイ・チャウのような青年は、ベトナム社会にあってごく少数の有識者層で社会から孤立した存在であった。フランス植民地政府は愚民政策をとっており貧弱な教育しか施されていなかった。当時識字層は、５％しかいない。ベトナム全土の存在する３年制の基礎学校（小学校低学年）は三つの村に一つしか設けられず、児童数は就学年齢層の２％程度にとどまっていた。さらに初等教育、上級初等教育を経て中等教育機関に進むのは０・０１９％に過ぎずなかった。フランス領インドシナには、ハノイに法・医学・科学の三つの大学があるのみで、大学生の数は６２８名であった。[13] フランスが大学創設に意図したのは、植民地運営を円滑に行うためのベトナム人官僚の育成であり、広範な層に教育を施す動機をフランスは持ち合わせていなかった。

　ここからはフランス植民地体制の崩壊から１９７６年のベトナム社会主義共和国による南北統一までの歴史を振り返っておきたい。１９４０年６月フランスがドイツに降伏するという欧州での新たな局面を受けて、日本は同年9月に北部インドシナへ、41年7月に南部インドシナへ日本軍を進駐させた。南部インドシナ進駐が米国の反発を招き、日本への石油輸出禁止を決定し、これが日米開戦の引き金となった。フランス本国とインドシナ植民地政府の動揺をみてとったインドシナ共産党は武装蜂起を始め、41年5月にベトナム独立同盟（ベトミン）を結成する。44年にベトミンは山岳部に秘密基地を設けて武装闘争を開始する。45年8月16日、日本が連合国に無条件降伏した翌日に一斉蜂起し、ハノイの行政機関を占拠し、9月2日にホー・チ・ミン主席がベトナム民主主義共和国独立を宣言する。

しかしフランス軍が南部を占拠し、退位していたバオダイ帝をかつぎ出し、南部にベトナム国を樹立する。ここにベトナムは、ベトナム民主主義共和国とベトナム国という二つの異なる政治権力が立ち、民族が分断された状況となり、民族の統一をめざすベトナム民主主義共和国と権力の維持をもくろむフランスとの間で戦いが続いた。１９５４年ベトナム民主主義共和国軍はディエンビエンフーでついにフランス軍を降伏させた。インドシナ休戦協定が調印され、北緯17度線が暫定軍事境界線となった。しかし共産主義の拡張を恐れる米国がフランスに代わってベトナム情勢に介入し、55年にゴ・ディン・ジエムを大統領とするベトナム共和国を新たに設立させる。以下、76年の南北統一までベトナムに存在していた二つの国家について、ベトナム民主主義共和国を北ベトナム、ベトナム共和国を南ベトナムと記する。

１９６０年には北ベトナムと共闘する南ベトナム解放民族戦線（ベトコン）が結成され、南ベトナム政府軍との戦闘が激化した。手を焼いた米軍は64年には北爆を開始するのだが、ベトコン・北ベトナムは世界最強の米軍と南ベトナムに対して粘り強く抵抗を続け、69年には南ベトナム共和国臨時革命政府を樹立した。このような情勢の下、米国本国において反戦運動が高まりをみせ、73年に和平協定を結び、米国はベトナムから撤退していった。米国撤退後も、ベトナム人同士の戦闘が続いたが、1975年4月北ベトナム軍がサイゴンに突入し、南ベトナムは崩壊した。そして76年に南北統一選挙が行われ、南北ベトナムは統一され、ベトナム社会主義共和国が7月1日に樹立されるに至り、ここに長い植民地支配・動乱の時代は終わりを告げるのである。

多民族国家としてのベトナム

ここから統一ベトナムの国造り、国民意識形成が始まるわけだが、これに先立つ1940年代から50年代にかけて、戦争中にもかかわらず北ベトナムにおいてベトナム語に基づいて「ベトナム国民」を育成する教育が行われ、識字教育の分野で成果をあげていたのは特筆に値する。

つまり北ベトナム政府が実施した「平民学務」という教育は、植民地行政を支える現地人エリート養成に重点を置きそれ以外の民衆を置き去りにした植民地時代の愚民教育を改め、ベトナム語の読み書きを教え、すべての国民に教育機会を提供する教育制度であった。1960年の政府統計によると、1945年の建国時から1954年にかけて全国で識字層となった人の数は、1050万に達した[14]。建国当初わずか5%であった成人識字率は、2018年時点ユネスコ統計で95%に達している。

そもそも近代的な国民国家形成とは、「我らベトナム国民」という同胞意識を国家の構成員たる国民に植え付けることである。上からの国民統合を進める政府にとっての急務は「ベトナム国民とは誰か」という点を明確化することだった。

ここで重要だったのが、北のベトナム政府は、「ベトナム」とはキン人の国家ではなく、様々なエスニック集団によって構成される多民族国家であると認識していたことだ。冒頭述べた通り、ベトナムは人口の8割を超えるキン人以外に53の少数民族がいることを政府は認定している。ベトナムの少数民族を研究する伊藤正子によれば、53という数字は、ソビエト連邦（ソ連）や中国の民族学に基づいて、1960年から70年代にかけて国内に存する様々な文化的特性をもった集団を「民族」と認定し、それにふさわしい名前を付けるという作業を行ったことを根拠としている。こうして国が認定した各「民族」に適切な施策をとることで、諸エスニック集団間の平等を達成し、国民統合を進めるという考え方が、民族政策の核となっていた[15]。

ベトミンそして北ベトナム政府は、動乱のなかで形成された政治権力である。彼らが戦争を遂行していくためには、少数民族の支持を獲得する必要があった。なぜならフランス植民地権力と戦うベトミンのゲリラ基地は中国国境に近い北部、北西部山岳地帯にあり、そこは少数民族の居住区であったからだ。タイー人（タイ王国のタイ人とは別のエスニック集団）やヌン人といった少数民族は、キン人とともに独立闘争を担った。伊藤は、ベトミン以来の政府の少数民族政策の全体像を提示し、そのなかでベトミン共産主義勢力から動員・優遇政策を受けたタイー人・ヌン人はベトミンの政策に追従、順応したわけではなく、亀裂を生まない程度に現場に合うような修正を加えて柔軟に対応しつつ、「ベトナム国民」の一員であるという意識とともに、自分たち少数民族のアイデンティティーを育んでいったことを叙述している[16]。ノン・ドゥック・マイン共産党書記長はタイー人であり、高位軍人、地方省幹部にタイー人、ヌン人出身者の多いのは、少数民族側による政府優遇措置の主体的活用、これによるステータス向上を意味し、少数民族に関する国民統合が一定の成果を挙げたことを示すものであろう。しかし時代を経るとともに、その限界も見えてきた。[17]

ドイモイ（刷新）政策によってベトナムの民族政策に転機が訪れたと、ベトナム現代史研究者の古田元夫は指摘している。古田が挙げる通り、1986年ベトナム共産党第6回大会政治報告は少数民族政策に関して「全体的な協働性、統一性の強化は合法則的な過程であるが、それはそれぞれの民族のアイデンティティーにおける多様性、独自性を排斥したり、それらと矛盾するものではない」とし、1991年第7回大会ではさらに具体的に「各地域、各民族の条件と特徴に見合った、商品経済発展の政策をもち」「地方の潜在力を開発する」「各民族の言語を尊重し、文字に関する正しい政策をもつ」ことが謳われている。[18]「ベトナム民族」の「団結」「統一」から、各エスニック集団のアイデンティティー尊重へと民族政策の基調が変わったのだ。

かくして、少数民族に食糧自給を強要してきた政策が改められ、商品作物の栽培が奨励され、生態にあった生産活動が許容されたこと、国営農業等の集団化政策から自主管理へと生産形態が転換されたことなどに加えて、少数民族が自らの文化的アイデンティティーを発揮することが容認され奨励されるようになった。これまで後進性の象徴として排されてきた長老制度が見直され、少数民族の祭り・風習が観光資源と位置づけられ奨励されるようになった。ベトナム語の普及を進めてきた学校では、少数民族言語による学びの実験が小学校で再開された。[19]

ドイモイ政策によって「統一」から「多様性」へと転換されたベトナム政府の民族政策であるが、

国家が定めた「民族確定」に対する異議申し立てが、54民族に認定されなかったサブ・エスニック集団から提出され、政治問題化している状況を、伊藤正子は報告している。政府による「民族確定」という上からの国民統合、という社会主義の民族政策が行き詰まりを見せているのは、伊藤の述べる通り「民族という概念に国家が介入し、それを国民統治に用いることの限界」[20]を示すものであろう。

越僑：新たなる国民意識形成の源

「ベトナム国民」という概念に含まれる多数のエスニック集団の存在と並んで、ベトナムの国民意識を複雑にしているのが、「越僑」の存在である。国外居住するベトナム人や外国籍を持つベトナム系移民・難民及びその子孫は越僑と呼ばれ、その数400～450万人がいると言われている。ベトナム世帯の約5％は、家族や親戚が海外に居住しており[21]、越僑という血縁ネットワークを通じてベトナムの人々は世界とつながっている。越僑がベトナム経済や文化に与えている影響は大きい。

ベトナム戦争終結、サイゴン陥落後に、政治的迫害や経済的困窮を理由に大量のベトナム人が祖国を離れ難民として海外に逃れた。越僑の半数近くの216万人が2018年時点で米国に在住している[22]。日本は、越僑の主な移住先として3位で42万人（2020年）である。これ以外に先進地域ではフランス35万人（2014年）、オーストラリア35万人（2015年）、カナダ25万人（2016年）、ドイツ17万人（2019年）、韓国17万人（2019年）などとなっている。

難民として米国等に逃れた越僑の人々は本国ベトナム政府に対して複雑な感情を抱いているが、本国の家族・親戚への思いは強く、ベトナム政府もドイモイ以降は越僑を敵視することをやめ、ベトナム経済活性化の手段として彼らとの協力の道を選んだ。また貧困対策の一環として、海外へ労働者を派遣する政策をとっており毎年10万人以上の労働者が海外で就業し、出稼ぎベトナム人数は54万人を超える。世界銀行によれば彼ら越僑からベトナム本国への送金額は２０１８年１５９億米ドルに達しており、この金額はベトナムＧＤＰの５％に達している。

めきめきと発言力を強める在米越僑の人脈は、政府要人にまで伸びて、庶民にとって身近な存在である外食産業の姿を変えさせるほどの影響力をもつようになっている。たとえばグエン・タン・ズン首相の娘と結婚した越僑ヘンリー・グエンは、２０１４年ホーチミン市にマクドナルド一号店をオープンし「ベトナム戦争終結で追われるように出ていった米国が再びベトナムに戻ってきた」と内外の注目を集めた[23]。

越僑を見つめるベトナム社会内側からの眼差しは、複雑だ。現代ベトナム作家ホアン・ミン・トゥオンが書いた大河小説『神々の時代』（今井昭夫訳）からも、そうしたベトナム国民のとまどいの声が聞こえてくる[24]。フランス植民地時代から独立、ベトナム戦争、南北ベトナム統一、難民流出、ドイモイに至るまで時代の荒波に翻弄されながら生き抜いてきた、紅河デルタの農村に暮らすグエン・キー一族が、この小説の主人公だ。

一族の長フックは、最後の科挙試験に合格した村の儒学者、すなわち「古きベトナム」を象徴するかのような存在である。現代史の激動のなかで「古きベトナム」は没落してゆかざるを得ない宿命を負わされている。フックの長男ロイは革命幹部として出世するが、フックは50年代北ベトナムで進行した「土地改革」において地主としてつるし上げられ失意のうちに世を去る。

そのフックの三男ヴォンが、この小説に登場する越僑である。「ボートピープル」として米国に亡命したヴォンであるが、故郷への愛を忘れることなく、米国で苦難の末に蓄財して帰郷し祖先を祀るお堂を建設するために奔走する。ヴォンを取り巻く周囲には、異国で経済的に成功した人間に対する羨望、かつて彼らを海外に追いやったことに対する負い目等々、様々な感情が交錯する。

訳者今井昭夫の解説によれば、この小説は2008年に刊行直後、出版規則に違反したという理由で回収命令が出され、その後は闇市場やインターネット上で大きな反響を呼んでいるという。(25) 越僑をどう描くかという点も、今日のベトナム文化において政治性、社会性を孕んだ微妙なテーマであり続ける。

このように越僑はベトナム社会において微妙な立場にあるが、彼ら自身、経済のみならず文化創造の面でも存在感を発揮させている。たとえば映画で越僑監督といえば『青いパパイヤの香り』を撮った在フランスのトラン・アン・ユン監督が知られているが、2000年代半ば以降米国からベトナムに進出した越僑映画監督の活躍が顕著となっている。チャーリー・グエン、レ・ヴァン・キエト、ダスティン・グエンなど続々と若い力のある映画監督が登場するなかで、その代表格といえるのが人気・実力ナンバーワンのヴィクター・ヴーである。越僑二世としてカリフォルニアに生まれたヴーは、娯楽映画の本場ハリウッドで映画製作を学び、その手法をベトナムに持ち込んだ。サスペンスからラブコメディまで多様な娯楽作品を手掛けるヴーの代表作といえばサイコ・スリラーの『スキャンダル』(2012年)と『草原に黄色い花を見つける』(2015年)で、いずれも日本でも公開されている。

東南アジアの映画史を研究する坂川直也によれば、ヴーの作品の新しさは、排除された敗者の視点、感情と欲望を突き詰めた男女の赤裸々な姿、個人的な感情・日常の些事等、これまで革命と戦争の大義を描いてきた従来の社会主義国ベトナム映画が欠落させていた要素を取り入れたハイブリッドな娯楽映画を探求している点にある[26]。

福岡国際映画祭・国際交流基金アジアセンターが共催した2017年6月のシンポジウムでヴー監督は、「社会がどんなに変わっても、ベトナム人は常に感情豊かで、情け深い民族だと思います[27]」と両親の故郷ベトナムへの思いを語っている。『草原に黄色い花を見つける』は、子どもの目線から80年代ベトナム南中部沿岸の村の世界、そこに生きる思春期の少年少女の感情のひだを丁寧に描いている。ノスタルジックな情感に満ち溢れた作品だが、米国で育ったヴーは直接その世界を体験したことはない。国境、世代を超えたノスタルジーである。予告編からもその情感を味わうことができる[28]。（インターネット検索サイトに「草原に黄色い花を見つける　予告編」と入力）

80年代にベトナムの人々と触れ合ったジャーナリスト小倉貞男は、前述のように近代以前に存在した伝統的な村落共同体（ラン）に対するベトナム人独特の根強い帰属意識を報告しているが、米国で生まれ育った越僑二世のヴーは、これを郷愁という普遍的な感情を土台にして外から映像化して見せて、ベトナム国民からも、海外の視聴者からも共感を取り付けたのである。

ここまでベトナムの国民意識形成の歩みを振り返ってきたが、ベトナムは、中国やフランス、米国など外の大国に対する抵抗のなかから、今日の国民意識を育んできた。

そうと書くと、ベトナムの国民意識とはシェルターのなかに閉じこもってじっと耐える内向きベクトルのナショナリズムを想像するが、考えてみるとベトナム建国の父、「ホーおじさん」と呼ばれたホー・チ・ミンも１９１１年に祖国を出てから再び１９４１年にベトナムに戻って来るまで、人生の半分を海外で暮らした越僑だった。ベトナムの人々は、越僑を独立革命の指導者として迎え入れたのである。

であるならば現代の越僑とは、国民国家ベトナムの国民意識形成の担い手の一員であり、ベトナム民族の多様性を体現する存在といってもよい。本国で暮らす人々との緊張と摩擦を孕みつつも、グローバリゼーションの時代を迎えて、彼らの影響力はさらに高まっていくものと想像される。近年日本でも在住ベトナム人の数が急増しているが、そのなかからかつてのファン・ボイ・チャウのような日本とベトナムをつなぐリーダーが現れてくるかもしれない。

注

（１）日本貿易振興機構（ジェトロ）「拡大するＡＳＥＡＮ市場へのサービス業進出」13頁 https://www.jetro.go.jp/ext_images/_Reports/02/2017/11ae1b02e810d00/asean_service.pdf（２０１９年12月11日アクセス）

（２）ベトナム総合情報サイトＶＩＥＴ ＪＯ「越僑からの本国送金、１９年は過去最高の１・８２兆円相当に」https://www.viet-jo.com/news/economy/191204162206.html（２０１９年12月5日アクセス）

（３）経済産業省「医療国際展開カントリーレポート ベトナム編 ２０１９年３月」８頁 https://www.meti.go.jp/policy/mono_info_service/healthcare/iryou/downloadfiles/pdf/countryreport_VietNam.pdf（２０１９年12月11日アクセス）

（4）「キン人」は狭い意味での「ベトナム人」である。本書で述べる「ベトナム人」とは断りがない限り主に「キン人」を指す。
（5）小倉貞男『物語ヴェトナムの歴史：一億人国家のダイナミズム』中公新書、1997年、14～17頁。
（6）小倉、前掲書、107～109頁。
（7）同右、124頁。
（8）小倉貞男『ヴェトナム　歴史の旅』朝日選書、2002年、11頁。
（9）小倉、前掲書『物語ヴェトナムの歴史』、90頁。
（10）同右、137～142頁。
（11）同右、142～144頁。
（12）小倉、前掲書『ヴェトナム　歴史の旅』、76～77頁。
（13）Nguyen Quang Kinh and Nguyen Quoc Chi "Education in Vietnam : Development History, Challenges, and Solutions" in *An African Exploration of the East Asian Education Experience*, ed. Birger Fredriksen and Tan Jee Peng (The World Bank, Washington, 2008), pp.110-111.
（14）西川真子・新居明子・梅垣昌子・大岩昌子・平川陽洋「国語教育と国民の知識基盤の形成：中国・英国・米国・フランス・ベトナムの事例」『名古屋外国語大学論集』3号、2018年、269頁。
（15）伊藤正子『民族という政治：ベトナム民族分類の歴史と現在』三元社、2008年、14～15頁。
（16）伊藤正子『エスニシティ〈創生〉と国民国家ベトナム：中越国境地域タイー族・ヌン族の近代』三元社、2003年、5頁。
（17）同右、270頁。
（18）古田元夫「ドイモイと文化の変化：変わるベトナムと少数民族」西川長夫・山本幸二・渡辺公三編『アジアの多文化社会と国民国家』人文書院、1998年、133～135頁。
（19）同右、140～141頁。
（20）伊藤正子、前掲書『民族という政治』17頁。

(21) ド・ミー・ヒエン及びグエン・ティ・ビク・トゥイ「ホーチミンの都市ライフスタイル新潮流：第２回ホーチミン市経済の成長と生活の変化」公益財団法人ハイライフ研究所『日本アジア共同研究プロジェクト』10頁　https://www.hilife.or.jp/asia2012/Vietnam2jpn.pdf（２０１９年12月11日アクセス）

(22) The US Census Bureau, 2017 American Community Survey, https://factfinder.census.gov/faces/tableservices/jsf/pages/productview.xhtml?pid=ACS_17_1YR_B02018&prodType=table（２０１９年12月11日アクセス）

(23) David Harding "McDonald's opens first location in Vietnam." *NY Daily News*. Retrieved 25 January 2018. https://www.nydailynews.com/news/world/mcdonald-opens-location-vietnam-article-1.1607550（２０１９年12月11日アクセス）

(24) ホアン・ミン・トゥオン（今井昭夫訳）『神々の時代』東京外国語大学出版会、２０１６年。

(25) 今井昭夫「訳者解説」、同右、５５８頁。

(26) 坂川直也「国民映画から遠く離れて：越僑監督ヴィクター・ヴーのフィルムにおける、ベトナム映画の脱却と継承」福岡まどか・福岡正太編『東南アジアのポピュラーカルチャー：アイデンティティ・国家・グローバル化』スタイルノート、２０１８年、１３０〜１５２頁。

(27) 国際交流基金アジアセンター「ベトナム進化系〜ベトナム映画に何が起こっているのか？　現地レポート」https://jfac.jp/culture/features/f-fiff2016-vietnam-symposium/3/（２０１９年12月11日アクセス）

(28) 『草原に黄色い花を見つける』予告編、https://www.youtube.com/watch?v=Vl_xvSUKJ-Q（２０１９年12月11日アクセス）

終章　グローバリゼーション時代のアジアの「自分探し」

「一つ」でないアジア

インドネシアから始まってベトナムに至るまで、東南アジア、南アジア、東アジア11か国の国民意識がいかにして形成され、今どのような変化が生まれているのかを見てきた。こうすると、日本も含めて、単一の文化、民族だけで成り立っている国は、アジアのどこにも存在しないことがわかる。

現在の国際社会を構成する基本的な単位の「国民国家」とは、「一つの民族が一つの国家を形成する」という考え方に基づくものだ。しかし、これはあくまで政治的なフィクションもしくは目指している理念であり、実態は様々な言語・文化・宗教・慣習等が一国のなかに存在している。「アジアは一つ」ではないし、アジアのなかの一国に限っても、その国は「一つ」ではない。

最後に、本書の冒頭で示した、アジアの国民意識を理解する上で重要な以下の三つの項目に沿って、ここまでの議論を振り返り、まとめることとしたい。

①　一つの国のなかにある民族・宗教・言語などの多様性
②　グローバリゼーションがもたらした社会の変容、個人の意識変化
③　国民の自己認識の揺らぎ

一国のなかの多様性

例外なくアジア各国は多民族国家であるが、その多民族性についても、大きく二つに大別される。

第一に、圧倒的多数を占めるエスニック集団が存在し、その多数派が少数派をどう遇するかが国民

統合の焦点となっている国における多民族性である。主流民族が人口の9割を超えているのが、中国、韓国、モンゴル、バングラデシュで、主に東アジア諸国である。8割を超えているのがベトナム、タイである。このような国々に関して、「○○国人」と聞くと、すぐに頭に思い浮かべるのは主流民族で、少数民族の存在を見落としがちである。たとえば現在の中国国籍をもつ「中国人」は、主流民族である漢人のみならず、チワン人、満州人、ウイグル人、モンゴル人、チベット人など55の少数民族が含まれていることに留意しておきたい。一口に中国人といっても、多様な背景があるので注意が必要だ。また漢人に関して、その歴史をたどると農耕民族と遊牧民族の混成の結果、形成された民族であり、彼らが話す漢語もそうした混成のプロセスを反映した五大方言があるなど、一つのエスニック集団のなかにもサブ・アイデンティティーが存在するのである。

第二の多民族性は、主流民族の占める比率が8割を下回り、多数のエスニック集団によって構成されるインドネシア、フィリピン、インドなど、文字通りの多民族国家におけるものである。マレー系、中華系、インド系という三つのエスニック集団からなるシンガポールやマレーシアは、英国植民地支配の時代にマレー人社会に、中国人やインド人が労働力として流入し、多民族国家となった。多民族国家としての国民意識の形成は、植民地支配が置きざりにしていった課題である。インドネシア、フィリピンも、西洋の植民地支配からの自立をめざす模索のなかで、それまでの歴史にない新たな国民意識が創造されていった。

このように20世紀に誕生した新しい国民国家かつ多民族国家において、国民統合の理念は国家の安定に関わる重要な機能を担っており、政府は教育やメディアを通じて、それを国民に普及しようと腐心している。

そして多民族国家の民主主義国において、様々な民族が混在する社会で多数派を糾合するためのアイデンティティー政治が目立ち始めたことは、国民統合に暗い影を落としている。ヒンドゥー教徒が8割のインドにおいて影響力を増しているヒンドゥー・ナショナリズム、イスラーム教徒が9割のインドネシアにおいて浸透しつつあるイスラーム主義が、言語や慣習に代わって宗教による多数派形成をめざすアイデンティティー政治の典型例だ。

グローバリゼーションがもたらした社会変容、個人の意識変化

これまでとは違う社会環境に置かれた時、外部の未知の人間や文化と出会い、それが無視しえない大きな存在であることに気づいた時、人はあらためて「自分とは誰か」「自分にとって大切なもの、守るべきものは何か」「自分はいかに生きるべきか」を自問する。社会や国家も同様に「自分探し」を始める。

民主化、市場経済の拡大に伴う都市化、中間層の拡大、学歴社会化、デジタル社会化等、20世紀末に顕著なものとなり、21世紀にそれが加速化した、いわゆるグローバリゼーション現象の諸相は、アジア地域においても、大きな社会変容と個人の意識変化をもたらした。

なかでも変化の程度が大きかったのが、モンゴルである。厳しい自然のなかで数千年にわたって育まれてきた遊牧という生産形態では、人々は最低限の家財をもって家畜とともに移動し、「土地を所有する」という概念は存在しなかった。しかし社会主義という近代国家によって徐々に遊牧民族の定

住化が進行していたところ、社会主義体制の終焉・市場経済の性急な導入は、遊牧民の定住化、半定住化を加速させ、土地の私有化、都市の肥大化、外国からの投資や情報の流入という体制転換をもたらした。

将来を見通せない、確かなものがない移行期社会を生きる若者たちが、自己表現の手段として目を向けたのがヒップホップである。モンゴルのヒップホップ人気の背景には、近代以前に発達していた口承文芸の存在を挙げる専門家もいる。急激な体制転換のなかで交錯する伝統と現代。国際社会の周縁部と考えられてきたモンゴルに、外部から膨大な情報や資本が流れ込むなかで、それを受けとめ咀嚼しようとする若者の心のなかに、新たな国民意識、国民文化が生まれようとしているのである。

グローバリゼーション下では、これまでにない規模で国境を越えてヒト・モノ・カネ・情報（最近ではウイルスも）が移動する。地球の裏側に住む「同胞」とICTを通じてつながり、それがさらに一体感を強化し、精神を高揚させる「遠隔地ナショナリズム」の事例を、インドネシアの人気インフルエンサーの事例から見た。

海外出稼ぎ者から本国への送金が経済に少なからぬ影響を及ぼしている現在のフィリピンやベトナムの近代史も振り返ってみれば、「建国の父」たちは、長く海外に滞在して本国に向かってナショナリズムを鼓舞した人たちだった。在米越僑である映画監督が現代ベトナム映画の発展を支えていることに見られるように、国境を越えた人的ネットワークが、新たな国民意識、文化の創造を活性化させている。

韓国が世界に誇るK-POPも、国境を越えた人の移動の結果、日本のJ-POPや米国のブラックミュージック、ヒップホップなどを受容し、それを脱却するなかで形成されたものであるし、K‐POPグループのなかには、僑胞や外国人がメンバーとして加わるなど「人的混淆」という要素が認められる。グローバリゼーションなくして、K‐POPという新たな音楽は、登場できただろうか。

ところでグローバリゼーションとは、ポスト冷戦時代において唯一の超大国となった米国の価値観、文化、生活様式が地球上に拡散し、世界が画一化すること、「グローバリゼーション＝米国化」であるという図式で捉えがちだ。しかし、実はそう単純ではない。

マレーシアやインドネシアは、70年代以降、めざましい経済成長を遂げ、都市部中間層が拡大した。中間層家庭の子弟たちは、高学歴で語学力もあり、理性的・教養をそなえた市民層である。合理的な近代市民は、非合理な宗教を受け入れず、世俗主義的な思考をとり、結果として近代化したアジア社会において宗教は衰退していく、と近代化論者は予想した。

しかし経済発展したインドネシアやマレーシアで発生しているのは、これまでイスラーム教徒であったとしてもさほど熱心にイスラームの教えに向き合ってこなかった、経済発展の申し子である都市部中間層の若者たちのあいだのイスラーム活性化現象である。このイスラーム活性化は、政治、経済等にまたがる多面的現象で、文化面でもイスラームとポップス、コマーシャリズムが融合した「イスラーム・ロック」や「ポップ・ナシッド」などの新たな音楽を登場させている。

インドネシア、マレーシアのイスラーム活性化は、70年代以降の世界的なイスラーム復興現象とも共鳴している。高学歴化の進行とともに、アラビア語や英語の情報を自ら理解し、情報源にアクセスできる若者が両国で増えた。彼らは、中東や南アジアの思想潮流に敏感で、中東や南アジアの政治・

学術・文化動向は、東南アジアのイスラーム青年たちに大きな影響を及ぼしている。イスラーム活性化もまた、グローバリゼーションの巨大な潮流の一つなのである。

国民の自己認識の揺らぎ

東南アジアの多島海域の国々であるインドネシア、シンガポール、マレーシア、フィリピンは、欧米の植民地体制を引き継ぐ形で、それ以前の歴史になかった領域を「国土」として、そこに生きる多様な人々を「一つの民族」というフィクションをたてることで建国された国々である。国家指導者たちは、人々に国民意識を植え付けることを重視し、国民意識の形成は教育やメディアを通じた、上からの啓蒙を推進した。なかでもトップダウンが徹底していたのは、シンガポールの初代首相リー・クアンユーである。彼が設計した国家像に基づいて、政府は国民生活の隅々まで管理し、国民統合の障害とみなされるものは排除しようとした。結果としてシンガポールは、アジアで最も豊かな国になったのだが、超管理社会に辟易する国民も当然ながら出てくる。

日本でも名を知られるポップ・シンガー、ディック・リーの楽曲は、自らのアイデンティティーを問うものであり、リー・クアンユーの清潔・合理的だが人間味にかける国家像に対するソフトな批判でもあった。一見安定した豊かな社会であるシンガポールにおいて、2013年に40年ぶりに暴動が発生した事実は、リー・クアンユーの国民統合がいまだ完結していないことを示している。果たしてエリートが、国民意識を管理することは可能なのだろうか。

国民意識の源になるのは、言語であったり、宗教であったり、理念・価値であったり様々だが、国民意識の源は固定的なものでなく、可変性があることを教えてくれるのが、バングラデシュの事例である。一人の人間においても、アイデンティティーは単一ではなく、複数存在し、状況・文脈によって、あるアイデンティティーが後退し、別のアイデンティティーが前面に出てくることがある。バングラデシュの場合、英国から独立する際は、イスラームという宗教が前面に出て、インドを挟んで東西に分かれたパキスタンという不自然な国家の東側となった。しかしその後、ベンガル語・ベンガル文化という言語文化アイデンティティーが強まり、逆にイスラーム意識は後退し、パキスタンからの独立をめざす運動となって、バングラデシュという国家を誕生させた。しかしバングラデシュ建国後は、再びイスラーム意識が活性化するという傾向が強まっている。たかだか100年ぐらいの時間枠で、宗教→言語→宗教とアイデンティティー源が替わっているのである。

こうしたアイデンティティーの変化については、対外的な要因も一定の影響を及ぼしているであろう。世界的なイスラーム復興現象のなかで、バングラデシュのみならず、様々なアイデンティティーの混在するインドネシアやマレーシアにおいても、イスラーム・アイデンティティーが突出し、社会における存在感を増大させている。

建国の父が夢みた理想の国家像と、今の現実とのギャップを問う自省が繰り返されているのが、フィリピンの現在である。フィリピン独立に殉じたホセ・リサールが19世紀末に遺した二つの小説は、独立後これまで何度も映画・オペラ・ミュージカル化されてきた。それらは、リサールの小説の再解釈を通じて、「フィリピンとは何か」「独立とは何か」というテーマを観る人に問いかける。フィリピン国民ひとりひとりが、苦い現実を直視し、今の国家に幻滅を感じることは、一見すると国民統合を弱める方向に作用しているかに見えるが、同じ言語で同じ作品を観て自省するという共通体験をもつことは、長い目で見ると国民意識を強化することにつながっているかもしれない。

以上11か国の事例で見る通り、「国家」や「国民」はナショナリズムが賛美するような永遠不変のものではなく、案外と不安定なものであることがわかる。20世紀後半から現在に至るまで、アジア各国の指導者たちは、彼らが「想像した」国家のあるべき姿を念頭に国民意識を普及しつつ国民国家の建設に取り組み、挫折も味わいつつ、おおむねその試みは成功をおさめてきたといえよう。しかし国民国家の建設の物語は完結したわけではない。冷戦体制の残滓、民主主義の内部に潜むポピュリズムあるいはアイデンティティー政治の誘惑、経済発展がもたらした社会格差、環境破壊と気候変動等の要因が、アジアの国民国家の行き先を不透明なものにしている。

終わりに：ウイルス危機のアジア

２０２１年の年明け、本書のしめくくりを書いている。２０１９年に発生した新型コロナ・ウイルス感染症（ＣＯＶＩＤ‐19）は、２０２０年の世界の風景を一変させてしまった。２０２０年3月、世界保健機関（ＷＨＯ）は世界的流行（パンデミック）を宣言し、ある国は都市を封鎖し（ロックダウン）、別の国は出入国を制限して、空港やターミナル駅から人影が消えた。市民は外出自粛やソーシャル・ディスタンスをとることが求められ、企業は在宅勤務、大学はオンライン講義となった。需要の急激な低下や国際物流構造の破壊は、経済を１９２９年の世界恐慌以来の大恐慌に陥れた。景気の悪化は中小企業やインフォーマル・セクターで働く人々を直撃し、倒産、解雇、賃下げが相次ぎ、自殺者も急増している。

まさに20世紀はじめのスペイン風邪以来の「100年に一度の厄難」だ。他地域と比較すると感染者が少ないアジアにおいても感染が拡大した国もあり、2021年1月3日現在、インドで1030万人、インドネシアで75万人、バングラデシュ51万人、パキスタン48万人、フィリピン47万人、ネパール26万人、日本24万人の感染者が出ている。アジア経済の状況は厳しい。本書の各章で示した各国の経済指標は、コロナ・ショック以前の2019年までの統計を用いている。2020年統計はまだ集計されていないが相当に厳しいものとなるに違いない。

ある大組織を率いた指導者から聞いた言葉だが、危機に直面した時、人や組織は自らのアイデンティティーを問い直すという。先が見通せない不安のなかで「自分とは誰か」「自分はなぜここにいるのか」という根源的な問いかけを始める。

これは国家にもいえることではないか。パンデミックの危機的状況のなかで、国家アイデンティティーの再確認、見直しが始まるのではないか。その兆候がすでにアジアで出ている気がする。インドネシアの雑誌『テンポ』は、2020年5月19日号で20世紀初頭、まだオランダの植民地支配下にあったジャワ島でパンデミックに立ち向かったジャワ人医師たちを振り返る特集記事を組んだ。百年前、感染症危機があぶり出した植民地行政の欠陥、背後にある人種差別意識が、感染症の現場で戦ったジャワ人青年医師たちに、医療改革の枠でおさまらない世直しの必要性を痛感させた。彼ら青年医師たちから「自分たちの国」を作ろうというナショナリズムが生まれた。これが新しい国家像の模索、そしてインドネシア共和国の建国と独立へとつながっていくのである。

歴史を振り返ってみると、植民地からの独立に奔走したアジアの民族運動指導者には医師出身の者が含まれている。8章で触れた中国革命の父である孫文、4章のフィリピンの国民的英雄ホセ・リサールが、その代表格だ。3章に登場するマレーシアのブミプトラ政策推進者マハティールも元々医師で、独立前に医者をしながら、政治活動を始めた。

医療は医療だけで終わらない。パンデミックとの戦いには、生活環境・衛生・保険制度・教育制度等社会体制の改善が不可欠なのである。

人と人とが触れ合うことを阻害する凶悪な新型ウイルスが危機的な状況をもたらしている今だからこそ、未来を展望するためには、あらためてアジアの自己認識がいかにして形成されてきたのか過去を振り返ってみる必要があることを痛感している。

最後に声を大にして言いたいのは、アジアは、ウイルス危機以前から世界各地で目立ち始めていた自国優先主義、内向きナショナリズムの罠にはまってはいけないということだ。危機を乗り越えていくためにはアジアの隣人たちとの協働を強化していかなければならない。協働のためには、相互に理解し合うことが不可欠であるし、また協働を重ねていくことでお互いの理解も深まるのである。

人間は一人では生きていけない。国家も孤立しては衰退していくのみだ。アジアの国々が追い求める「あるべき自分」は国際協調のなかにある。

あとがき

　ネット動画からアジア各国のアイデンティティーのあり様を考える。こういう学びのスタイルを着想したのは、大学における教育実践からだった。筆者は２０１７年以来、跡見学園女子大学で「現代アジア社会」論を講義している。ここで学生たちに多様でダイナミックな現代アジアの魅力をいかに伝えるかという観点から、ユーチューブ動画を活用した講義を３年にわたって試行錯誤した。その経験が本書執筆のベースとなっている。新型ウイルス危機の発生によって、大学の講義は本来あるべき対面型からオンライン型での対応を余儀なくされたが、かかる状況のなかでもネット動画の視聴は学生の関心を高めディスカションを促す格好の教材だ。この機会を与えてくれた跡見学園女子大学、若いみずみずしい感受性に満ちたコメントを返してくれる学生たちにまず感謝である。

　そして本書中で参照させていただいたアジア研究の執筆者の方々に、最大限の感謝と敬意の気持ちを伝えたい。振り返ればこれまでの人生において、アジア研究から実に多くのことを学んだ。現在も独創的、刺激的なアジア研究が続々と発表されており、筆者の好奇心を大いにくすぐってくれる。それなくして本書の執筆は困難だった。

良き外交官は任国の言語と歴史に知悉していなければならないといわれるが、それは国際文化交流の実践者にもいえることである。筆者は35年間の国際交流基金時代に、インドネシアとインドでの駐在を経験したが、目の前の政治・経済・社会・文化の背後にあるものを理解する上でアジア研究の成果がいかに役に立ったことか。「地域研究の成果に常に関心を払い、仕事に活用せよ」と教えてくれたのは国際交流基金の上司・先輩たちだった。彼らへの感謝とともに、ウイルス危機によって日本とアジア諸国間の人と人の触れ合いが困難な事態にあるなかで、文化交流の灯を消すまいと奮闘している国際交流基金をはじめとするすべての国際文化交流の実践者たちに、心から応援のエールをおくりたい。

筆者は、筆者自身のアジア理解を深めたいと思い、国際交流基金勤務の傍ら早稲田大学大学院アジア太平洋研究科（GSAPS）で学び博士論文を執筆した。博士号取得後も、同大学アジア研究所招聘研究員に任命いただき、本書執筆においても豊富なアジア研究資料を所蔵する大学図書館の利用等研究上のサポートをいただいた。筆者をアジア研究に誘ってくれた学恩のある後藤乾一先生および早稲田大学に改めてお礼申し上げる。

本書の読者には、ウイルス危機が去ったら、ぜひアジア各地を旅して、そこで生きる人々と触れ合っていただきたい。アジアの現場を歩くことの意味を教えて下さったのは、阿部汎克さん、小倉貞男さんという二人のジャーナリストである、阿部さんは毎日新聞の、小倉さんは読売新聞の記者としてベトナム戦争報道に従事された。戦争を見てきた二人はいち早く平和に果たす文化の役割、国際文化交流の重要性に着目し、国際交流基金の若手職員だった筆者に現場で得る感覚、知識の重要性を教えてくれた。今は二人ともすでに鬼籍に入られて、感謝の言葉を伝えられないのが残念だ。

そして明石書店の大江道雅社長、同編集部の長島遥さんは、筆者の拙い原稿を丁寧に読んで、的確なコメント、提案を下さった。人権を擁護することを出版理念とし、数々の優れたアジア研究を世に送り出してきた同書店から、自分の論考を世に問うのは長年の夢で、大変光栄なことと感じている。

最後にいつも懸命に筆者の教育・研究活動を支えてくれている妻・智美にありがとうと伝えたい。

2021年2月

小川　忠

ま行

や行

ら行

わ行

な行

は行

さ行

た行

索　引

【著者略歴】

小川　忠（おがわ・ただし）

1959年神戸市生まれ。2012年早稲田大学大学院アジア太平洋研究科博士後期課程修了、学術博士。1982年国際交流基金入社、同基金ニューデリー事務所長、日米センター事務局長、東南アジア総局長（在ジャカルタ）、企画部長等を歴任。2017年より跡見学園女子大学文学部教授。早稲田大学アジア研究所招聘研究員。青山学院大学、慶應義塾大学非常勤講師。アジア研究・国際文化交流政策専攻。

【主要著書】

『インドネシア　多民族国家の模索』（岩波新書、1993年）、『ヒンドゥー・ナショナリズムの台頭　軋むインド』（NTT出版、2000年、アジア太平洋賞特別賞）、『インド　多様性大国の最新事情』（角川選書、2001年）、『原理主義とは何か　アメリカ、中東から日本まで』（講談社現代新書、2003年）、『テロと救済の原理主義』（新潮選書、2007年）、『戦後米国の沖縄文化戦略　琉球大学とミシガン・ミッション』（岩波書店、2012年）、『インドネシア　イスラーム大国の変貌』（新潮選書、2016年）ほか。

自分探しするアジアの国々
——揺らぐ国民意識をネット動画から見る

2021年3月20日　　初版第1刷発行

著　者　小川　忠
発行者　大江道雅
発行所　株式会社明石書店
〒101-0021　東京都千代田区外神田6-9-5
電　話　03-5818-1171
ＦＡＸ　03-5818-1174
振　替　00100-7-24505
https://www.akashi.co.jp/

装　丁　　明石書店デザイン室
印刷・製本　日経印刷株式会社

（定価はカバーに表示してあります）　ISBN978-4-7503-5174-2

ソーシャルメディア時代の東南アジア政治
見市建、茅根由佳編著 ◎2300円

東南アジア大陸部の戦争と地域住民の生存戦略
避難民・女性・少数民族・投降者からの視点
瀬戸裕之、河野泰之編著 ◎4400円

21世紀東南アジアの強権政治
「ストロングマン」時代の到来
外山文子、日下渉、伊賀司、見市建編著 ◎2600円

現代インドネシアを知るための60章
エリア・スタディーズ 113 村井吉敬、佐伯奈津子、間瀬朋子編著 ◎2000円

シンガポールを知るための65章【第4版】
エリア・スタディーズ 17 田村慶子編著 ◎2000円

タイを知るための72章【第2版】
エリア・スタディーズ 30 綾部真雄編著 ◎2000円

フィリピンを知るための64章
エリア・スタディーズ 154 大野拓司、鈴木伸隆、日下渉編著 ◎2000円

カーストから現代インドを知るための30章
エリア・スタディーズ 108 金基淑編著 ◎2000円

バングラデシュ民衆社会のムスリム意識の変動
デシュとイスラーム 高田峰夫著 ◎9800円

バングラデシュの歴史 二千年の歩みと明日への模索
世界歴史叢書 堀口松城著 ◎6500円

ロヒンギャ問題とは何か 難民になれない難民
日下部尚徳、石川和雅編著 ◎2500円

バングラデシュを知るための66章【第3版】
エリア・スタディーズ 32 大橋正明、村山真弓、日下部尚徳、安達淳哉編著 ◎2000円

現代中国を知るための52章【第6版】
エリア・スタディーズ 8 藤野彰編著 ◎2000円

現代韓国を知るための60章【第2版】
エリア・スタディーズ 6 石坂浩一、福島みのり編著 ◎2000円

現代モンゴルを知るための50章
エリア・スタディーズ 133 小長谷有紀、前川愛編著 ◎2000円

現代ベトナムを知るための60章【第2版】
エリア・スタディーズ 39 今井昭夫、岩井美佐紀編著 ◎2000円

〈価格は本体価格です〉